ÇELİK GÜLERSOY VAKFI
İSTANBUL KÜTÜPHANESİ YAYINLARI
Anılar Dizisi: 2

Yayın Koordinatörü: ÖMER KIRKPINAR

ISBN 975-7512-10-9

Kapak Düzeni: Cemalettin Mutver
İç Fotoğraflar: Ç.G.Arşivi
Baskı:Eka Matbaacılık

İstanbul Kütüphanesi, Soğukçeşme Sokağı, Sultanahmet-Tel: 512 57 30

Çelik Gülersoy

BEYOĞLU'NDA GEZERKEN

SEVGİLİ ERGUN'A

"İstemiyorum göz göze gelmek
Anılar
Benim eski bakışlarım değil
Gün nice sıcak olsa yakın olsa
Yenilenmiş yüzü değil
Eski aydınlıkların.
F.H. DAĞLARCA "

ŞUBAT 1991

İSTANBUL
1990

TAKSİM, 1948

İÇİNDEKİLER

SUNUŞ

Bu kitabımın adının kaynağı, eski, ünlü-ve de epeyce oynak-bir İstanbul şarkısı:
Beyoğluuunda geezeersiin
Göözleeriini süüzeersiin...
Herkes, dünkü Beyoğlu'nu başka bir türlü gezmiştir. Kimi saza-caza gitmiş, âlâ lokantada karın doyurmuş, meyhanede kafayı bulmuş, kimisi lüks otelde uyumuş, kimileri sahnelerde hayalini bulmuş, gözyaşı ile, alkışlarla avunmuş.
Şehrin bu frenk kesimi, o denli çeşitli ve zengindi ki, herkes bu denizden kendi kabına göre, ve de kabı kadar, su alırdı.
Ben Beyoğlu'nu sadece gezmiş kişilerden değilim. Orada yaşadım. Çalışma hayatımda, gençlik yıllarım onun ortasında aktı gitti. Aile yaşantımda, 9 yaşımdan başlayarak, 35'ine kadar ömrüm, Yıldızla Beyoğlu arasında bölündü. Ben Beyoğlu'nu gezmedim, yaşadım.
Gezintiyi şimdi bu kitapta, okuyucularımla yapacağım.
Çok uluslu, prizma gibi çok yönlü, alımlı ve çalımlı Beyoğlu bitti artık. Yeni bir şehir, ve tek düze bir doku var. Biz eskilere kalan da, Haşim'in deyimi ile, olsa-olsa, bir zevk-i tahattur. Bu resimli kitapta, daha eskilere de yer-yer yollamalar olmakla beraber, esas olarak, son 30 yılda, 1940'larla 1960'lar sonu dönemine ait, kendi anılarım bulunur.
1970'ler ve sonrasının ise, zâten yazacak ve özlenecek yanı yoktur.
Bildiklerimi, yaşadıklarımı, bir tutam da olsalar, başkaları ile paylaşmak ta, son kalan bir zevk.
(ve bu da çok görülmese gerek!)
Gönlümden ve belleğimden seçip ayırdıklarımı,* bu gıyabî dostlara sunuyorum. Albümümden ve arşivimden resimlerle süsleyerek.

* Kitaptaki yazılar, 23/7/1989-Şubat 1990 tarihleri arasında Cumhuriyet'in kent-yaşam sayfasında yayınlanmıştır. Onlara iki eklenti yaptım (S. 111 ve 115), ve de hepsini resimledim.

KONUYA GİRİŞ

Her işimizde olduğu gibi Beyoğlu konusunda da son zamanlarda bir "ifrat ve tefrite" düştüğümüzü görüyorum. Geçtiğimiz 5 yılda İstanbul, çeşitli yatırımlarla uluslararası kapitalin yeni bir ihtiyacına göre hazırlatılırken, buna paralel olarak bir de Beyoğlu edebiyatı başlatıldı. Televizyonda programlar yapıldı, bir takım kişiler konuşturuldu. Bir özentidir gitti: "Ah o eski Beyoğlu neydi? Beyler papyonsuz, hanımlar tuvaletsiz çıkmazdı. O sinemalar, o pastahaneler, falan-filan". Uyandırılmak istenen özlemle beraber, sözüm ona bir îmara da girişildi. Beyoğlu, İstiklâl Caddesi'nden ibâret sayılıp gerisinin yıkımı için fetvalar çıkarılırken, bu ana caddede de yapmacık bir güzelleştirmenin makyajları yürütüldü: Kesme taştan binaların yüzlerine üstübeç beyazı sürülmesi gibi. O da sadece cephelere. Yan yüzler yıkık sıvasıyla duruyor. (Örnek: Ünlü Rumeli Pasajı).

Bu cins bir kampanyaya tepkiler doğması beklenirdi. Halktan bir ses gelmedi. Basının gün aşırı yayınladığı bayram ve yıl başı süslemelerinin renkli ampulleri, şehrin yeni halkını epeyce yıkamış durumdaydı. Tepki, bir-iki köşe yazısıyla bir kitap biçiminde ortaya çıktı. Kitabı, gençliği Beyoğlu'nda geçen Kadıköylü bir avukat yazmış; Özdemir Kaptan. İki baskısını da okudum. Kendisini çok iyi anlıyorum. O cıvık Beyoğlu edebiyatına bir cevap vermek gerekiyordu. Fakat görüyorum ki, onun kitabı da, sırf tepki yapıtı olmuş! Pastahaneler ve papyon kravat edebiyatına karşı, Beyoğlu'nun batakhâne kısmını sayıp döküyor. Ana tezi, "seçkin semt" imajını çürütmek. Güzel de, gördüğüm kadarıyla bu defa da kendisi kantarın ibresini öbür yana fazla kaçırmış. Dostumuz Hasan Pulur da "Öyle ya, adam haklı, Beyoğlu dediğin neydi ki" diye gürleyerek, bu yeni tezden yana çıkınca, artık eskimiş bir Beyoğlulu olarak, benim de bir şeyler yazmam gerektiğini anladım. Üç yazıda, genel laflar edeceğim. Sonra bir kaç yazı ile, Beyoğlu'nun köşe bucağı üstüne anılarımı ve bildiklerimi nakledeceğim.

Önce tipik bir "tepki yapıtı" niteliğiyle, Özdemir Kaptan'ın kitabına dokunayım: Bunda belirgin bir kaç ana yanlışlık var:

İlki, Galata ile Beyoğlu aynı potaya konularak eritilmek istenmiş. O yüzden Beyoğlu'nun geçmişi de çok eskilere çekilmeye çalışılıyor. Halbuki Galata başka bir şehirdi, Beyoğlu başka. Galata bir limandı ve çok eskiydi. Beyoğlu bir semtti ve yeniydi. Sefaretleri, mağazaları, evleri, taş konakları ile, ve de tabiî o arada batakhâneleriyle, ayrı bir şehir kesiti idi. Bu sonuncuların olması, öncekilere engel değil. Sayın Kaptan'ın başka bir ön yargısı, Beyoğlu'nda yaşayan yabancılarla Osmanlı uyruklu azınlıkları birbirinden bütün bütüne ayırma ve bunları çelişkili çıkarların sahibi olarak gösterme gibi bir çabanın da içine girmiş olması. Başlangıçta bu böyle idi tabiî. Ama Batı ile ticaret arttıkça ve Osmanlı yarı sömürge haline geldikçe, bu ayırım iyice azalmıştı ve "ecnebî"lerle bizim azınlıklar, ekonomik olarak da bütünleşme sürecine girmişlerdi. Bunun bilimsel olarak çok kanıtı getirilebilir. Ben pratik bir örnek vereyim: Şehrin işgalinde yaşanan tablo neydi ve o olay, o görüntü, sebepsiz miydi?

Sayın avukatın, bir dönemin edebiyatını ve arkasındaki güçlerin hesaplarını çürütmek için cüppe giydiğini, ama nafile bir davada biraz boşuna nefes tükettiğini söylemek durumundayım. Tarihsel gerçeği iyice incelemeden, başka bir ön yargı ile üretilen tezler, bir diş hekiminin ölçü almadan hazırlayıp, hastanın ağzına zorla sokmaya çalıştığı protezlere benzer. Beyoğlu gerçeği, bu iki akımın da dışında bir olaydı. İstanbul'un Avrupası diyebileceğimiz bu kesimi, yer-yer çok seçkin, yer-yer batakhâne, bütün bir semtti.

Bu durum, sade İstanbul'a özgü bir doku da değildir. Dünyanın bir çok kapitalist metropolünde durum böyledir. Bugün bile. Sınıflar arası çelişkilerin daha keskin olduğu geçen yy. da, bu daha "normal" bir doku sayılırdı. Londra'da Regent Street, en seçkin bir alış-veriş yeridir. Kimi yaz geceleri trafiğe kapatılıp, balolar bile düzenlenir. İki arkası ise, Soho batakhâneleridir. New York, öyledir.

Bu ana yapının yanında, bir tarihsel gerçek daha vardır:Geçmişte tek Beyoğlu yok! Her dönemde, bu semt içerik değiştirmiş, başka görünümler sergilemiştir.

Onun için Beyoğlu'nu da, filin bir yanına dokunarak değil, bütünüyle görerek tanımamız gerekiyor. Bu önce, bilim açısından ve soyut olarak lâzım. Ama bunun ötesinde, pratik amaçlar için de gerekli: Şehrin bu kesimini nasıl kullanalım?

Gelecek iki yazıda, Beyoğlu'nun aslını-faslını yazacağım. Fakat bu yazıyı, kendi sıfatıma ait bilgilerle bitireyim: 60 yıla dayanan ömrümün yarıdan çoğu, Beyoğlu'nda geçti. 1939'da ablam evlenerek Süslü Saksı Sokağı'nda, 1940-42'de Parmakkapı'da Tel Sokağı'nda, 1943-47'de Sıraselviler başında, 1948-53'te Kamer Hatun'da oturdu. 1953-65 arasında 12 yıl ise, ünlü Çiçek Pasajı'nın köşe apartmanında moda evi çalıştırdı. Ben de bir çok aylarımı, oralarda geçirdim. Bu, aile hayatım.

İş hayatıma gelince 1947-50'de 4 yıl Lâle Sineması bitişiğinde, 5 yıl Tepebaşı Meydanında, 10 yıl Tünel başında çalıştım. Bunların ötesinde, bugün hepsi İstanbul Kitaplığı'nda yer alan pek çok şeyi de okudum. Özellikle yabancıların anılarını. Bu kitaplar, güneş ışığı bile görmemiştir. Yani kimsenin haberi yoktur.

Şimdi bunların hepsini ezip, suyunu çıkararak, size Beyoğlu'nun kısa bir hikâyesini yazacağım.

Ahşap ve türk mimarisinde ilk Beyoğlu.

10

İLK DÖNEM BEYOĞLUSU

---

1) 16-19. yüzyıllar arasında, 300 yılın Beyoğlusu:

Çevrede mezarlıklar, kırlar, üzüm bağları, ve de tek-tük yerleşimler. Tünel'den Taksim'e doğru bir çizgi üstünde birikmeye koyulan bir binalar oluşumu. Gelen resimler bunu anlatır...

Beyoğlu'nun büyük kısmı, uzun süre, öylesine boş, kırlık ve yeşillik bölgelerdi ki, 19. yy. başına kadar, sonradan sahibine atfen Hava Sokağı adı verilen yer, İstiklâl Caddesine çıkan ara sokağı, bir bostanmış ve de yetiştirdiği marulları ile ünlüymüş! Bunu bir görgü tanığı kaydediyor(*).

(*) Said N. Duhani: Quand Beyoğlu s'appelait Péra. İstanbul 1956.

Bu yazıda İstanbul'un Avrupası dediğim Beyoğlu'nun genel niteliklerine gireceğim. Bunu izleyecek bir kaç yazıda ise, bazı semtler ve yapılar üstüne anılarımı ve bilgi birikimlerimi aktarırım.

Beyoğlu konusunda geçen yazıda biraz belirttiğim gibi, Tarihte bir tane Beyoğlu yok! Genelde Osmanlı İmparatorluğu'nun ve özelde de onun başkentinin geçirdiği ekonomik ve sosyal aşamalara paralel olarak, hem içeriği ve sosyal dokusu, hem de onun bir sonucu olarak fiziksel görüntüsü değişen, bir kaç Beyoğlu olmuştur.

Bilindiği gibi, ilk defa Fransa elçiliğinin, aldığı izinle 16. yy. ortasında Galata'nın dışına çıkmasıyla başlayan bir yerleşim, ancak 300 yılda birikmiş ve oluşmuştur. Bunun 200 yılı, bağlar ve kırlıklar ortasında seyrek bazı yapılar topluluğundan ibarettir. Kimselerin bilmediği bir bilgiyi buraya kaydedeyim: Hollanda elçiliğinin arka yüzünde, alt kat duvarında, iri demir halkalar vardır. Felemenk tüccarları kervanlarının gelişlerinde, develeri bağlamak için! 16 ile 18. yy. lar arasında Beyoğlu, öylesine yarı boş bir yerleşimdi. Halkı da, kullanımı da, binaları da, ona göre idi.

Bu ilk 300 yılın tamamında, Şişhâne Yokuşu ve Tepebaşı'nın büyük bir kısmı, müslüman mezarlıkları ile kaplıdır. Ayazpaşa ve Surp Agop (bugünkü Elmadağ), biraz islâm, daha çoğu çeşitli mezheplerden olmak üzere baştan başa hrıstiyan mezarlıklarıdır. Taksim'den ötesi boştur. Bina toplulukları, Cumhuriyette İstiklâl Caddesi ismini alan Cadde-i Kebir ile iki yanındaki 5-10 sokaktan ibaret. Bütün nüfus da 3'lü bir bileşim: Yabancılar, lövantenler (levanten değil), ve azınlıklar. Türk ve müslüman yok gibidir. Müslüman şöyle dursun, frenkler için bir tek otel bile yok. Bir kaç fransız veya italyan madamının, evlerinde açtıkları pansiyonu var. İlk 300 yılındaki durumu konuşuyoruz.

19. yy. ın ortalarına doğru, yani Tanzimat dönemine kadar, buradaki azınlıklar bile müslüman nüfus gibi yaşıyordu. Evlerinde mobilya yoktu. Yer sedirinde oturuyor, sinide yiyor ve tandırda ısınıyorlardı. Bu Beyoğlu, hem lüks değil, hem henüz Avrupalı değil, hem de Özdemir Bey'in batakhânelerine bile henüz sahip değil. Batakhâneler aşağıda Galata'da. Orası ise, altını çizerek söylüyorum: Halkı ile ve binaları ile Beyoğlu değil. Adı üstünde, Galata!

300 yılın Beyoğlusu şöyle: Bir tutam elçilik, bir tutam frenk, biraz azınlıklar. Boş bir çerçeve. Sönük bir yaşam. 3-5 binlik bir nüfus!

Melling Albümünde (1800'lerin ilk yılları), Taksim.

12

Taksim'de bugünkü opera'nın yeri... 1830'lar başında. (Lewis Albümü)

Aşağıdaki metin, bir yabancı görgü tanığına aittir. 19. yy. başında, yani Batı sermayesinin egemenliğinden önce, Beyoğlu'nun ekonomik durumu ve sosyal yaşamının ne olduğuna dair önemli bir kaynaktır. Bu pasajı naklediyorum:

"Brayer, anlatımlarında, Pera'yı, yani Frenklerin oturduğu semti seçmiştir. Pera İstanbul'un bir kenar semtidir; güney yamacında Galata'nın yer aldığı bir tepenin üzerinde kurulmuştur; limana uzaklığı bir kilometredir, Enlemi 41° 2' 39" Kuzey, boylamı 26° 35' doğudur. Deniz ya da Boğaz suları seviyesinden yüksekliği ise yaklaşık 110 m.'dir. Burada adeta yalnızca iki mevsim yaşanır: Hemen hemen sürekli esen kuzey rüzgârlarının serinlettiği, yumuşattığı dört beş aylık sert ve yağmurlu bir kış. Sular saf, yiyecekler bol ve iyi niteliklidir. Çevrede kırlardan, güzel bir gökten ve sağlığa yararlı bir iklimden yararlanan bir beldedir.

Yunanca "karşısı, öbür taraf" anlamına gelen Pera adı, bu semte konumundan ötürü verilmiştir. Semt, asıl kentin karşısında ve limanın öbür yakasındadır. Aleksios Komnenos'un, Yunan imparatorluğunun yıkılışından sonra burada oturmuş olmasından ötürü, Türkler Pera'ya Beyoğlu derler. Bu mahalle uzun süre küçük bir köy olarak kaldı. François I ile Kanuni arasında imzalanan bir ticaret ve dostluk antlaşmasıyla 1535'te, padişah tarafından Fransa elçiliğine ikametgâh olarak gösterildi. Bunun üzerine Frenkler, elçiliğin koruması altında buraya yerleştiler. Böylece Pera köyü az çok önem kazandı ve yavaş yavaş tüm Avrupa elçilikleri bu semte taşındı. Daha sonra rum ve ermeni aileleri de geldiler. Bugün Pera'nın nüfusu, yaklaşık 3000'dir. Bunun yaklaşık üçte birini gerçek anlamda frenkler oluşturur.

Dünyanın başka hiçbir yerinde buradaki kadar karışık bir nüfusa, bu denli çeşitli giysilere ve insan tiplerine rastlanmaz. Doktor Brayer'in de dediği gibi, önünüzden her an, kırmızı bir takke takmış ya da başına bir bez dolamış, çıplak bacaklı, düz ayakkabılı, seri, etkin, gürültücü bir rum zenaatçı; pamuklu mavi takkeli bir dükkancı çırağı; gri ya da siyah kalpaklı ve eğer müslümanlarınkini giyme ayrıcalığını almamışsa aynı renk papuçlu bir tüccar, bir banker geçebilir. Şurada, siyah ve parlak bir kalpak, kırmızı papuçlar, geniş bir biniş ya da koyu renk bir manto giymiş, ölçülü adımlarla yürüyen ciddî yüzlü bir ermeni; ötede, kenarı yünle karışık sırma ya da ipek işlemeli silindir biçiminde başlıkları, üstü bol altı dar pantalonları, çeşitli renklerde yuvarlak kesimli ceketleriyle, yeni türk birliklerinin askerlerini görebilirsiniz.

Bazen, sarığına beyaz muslin dolamış, mor kırmızı geniş bir pantalon, kanarya sarısı papuçlar ya da kırmızı potinler giymiş, sâkin yüzlü, gür sakallı, yürüyüşü azametli bir efendi, bazen de aksine, küçük boy kalpağına mavi muslin sarmış, kirli ve yırtık binişli, solgun benzinli ve aşağılık suratlı bir yahudi geçer. Az rastlanır çirkinlikleri yüzünden özellikle seçilmiş bir grup zenci haremağası, zengin koşumlu arap atları üzerinde, gösterişli kürklü mantolarıyla zaman zaman Pera'dan geçer ve koruyucu bir tavırla sağ ellerini yürekleri üzerine götürerek halkı selamlar. Daha ender olarak da, akağaların âmiri olan saray ağasını, yönettiği ve Saraya nedim olmak üzere sultanın parasıyla eğitilen genç delikanlıların, yani iç oğlanlarının sarayından dönerken görebilirsiniz. Yerli halktan bu kişilere, yabancı elçileri ve maiyetlerini, cappucino'ları, cordelier'leri ve diğer katolik rahiplerini, ermeni ve rum papazlarını ve her ulustan çok sayıda frenki de eklerseniz, işte o zaman Pera'nın halkı üzerine bir fikriniz olur.

Kadınların burada Avrupa'da olduğundan çok daha kapanık bir yaşam sürmelerine karşılık, başı ve boynu saran bir yaşmak ya da beyaz muslin bir peçe takmış (türk kadınları bunları yalnızca gözlerle burnun üst kısmı açıkta kalacak şekilde takar), biraz irice, kara gözlü ve kara gür kaşlı, hoş tenli güleç ermeni kızlarına Pera'da sıkça rastlanılır. Ermeni kızları ayrıca geniş bir ferâce ya da mantoya bürünürler; yere kadar inen bu giysileri türk kadınları da giyer. Yüzlerini kara tülden bir peçeyle örtmüş Halepli kadınlar ile kısa boylu ve zayıf, canlı bakışlı, ince hatlı, ellerinden geldiği kadar az örtünmeye çalışan rum kadınları da dikkati çeker. Peralı kadınlar ise, yarı frenk, yarı Doğulu giysileriyle hemen tanınır. Son olarak da, elbise ve şapkalarını Paris'ten getirten ya da moda dergilerine abone olan ve zarifliklerı, duruşları, yürüyüşleri ve şıklıklarıyla Peralı kadınları gölgede bırakan, fransız elçiliği ve diğer Avrupa orta elçiliklerinde çalışan görevlilerin hanımlarından da söz etmek gerekir.

Ancak, M. Brayer'in dediğine göre, Pera'daki ulusların ve kıyafetlerin ne denli çeşitli olduğu, en iyi pazar ve bayram günleri görülür. Böyle günlerde Cadde-i Kebir, el kol hareketleri yaparak konuşan Avrupalılarla dolar. Bunların Provence'lı Cenova'lı, Livorno'lu, Napoli'li, Venedik'li, Slav ya da Ragusa'lı olduğu, lehçelerinden anlaşılır. Bu insanlar, Akdeniz ticaret filosuna bağlı gemilerini bırakıp, gemicilerin koruyucu azizine adanmış San Antonio manastırına âyin dinlemeye gelmiş, birinci, ikinci ve kılavuz kaptanlar; Avrupalı tacirlerin hemen hemen tümünü barındıran Galata'nın, temiz Pera havasını solumaya koşmuş zenaatçıları, işçileri, dükkâncıları, tüccarlarıdır. Başka yerlerde gösteri salonlarının önünde toplanıldığı gibi, halk burada, âyine giden rum ve ermeni katolik kadınları, Peralı ve frenk kadınları görebilmek için, kilise kapılarına yığılır.

Pera sokakları, çok dar ve bakımsızdır. Çoğu ahşap olan evler, oldukça yüksek olmalarına karşılık sağlam değildir. Bunlar, çok sayıda kafesli pencereleriyle büyük birer hayvan kafesini andırırlar. Evlerin dışı, göze pek hoş gelmeyen koyu gri renktedir. Kârgir evlerin duvarları pek kalındır. Bu yürek karartıcı ve nemli yapılar, zindana benzer. Kasap ve manavların yakınında, balık pazarının bulunduğu meydan, âdeta bir açık hava lağımıdır. Mahallenin aç köpekleri buraya yiyecek bulmaya gelir. Pera'da kahvehaneler, tavernalar ve her tür dükkânın yanı sıra, iki ya da üç otel de bulunur. Kahvehaneler dar, pis ve karanlıktır. Orta sınıf insanının ve Pera'da kol gezen işsiz ve serüvenci takımının alışılmış mekânıdır bunlar. Mahallede birkaç şekerci ve dondurmacı da vardır. Semtte üç kiliseyle iki manastır bulunmaktadır. Ancak, Pera'nın en dikkat çekici yapıları, tepenin doğu yamacında yükselen Fransa ve Avusturya elçilik saraylarıdır. İngiliz elçilik sarayı ise, tepenin üzerinde yer alır. Sokağa doğrudan açılan tek elçilik sarayı, Hollanda'ya aittir. Pera sokaklarının adı yoktur. Avrupa'da olduğunun aksine, evlere numara da verilmemiştir. Dükkânların önünde tabelalar, afişler, tezgâh gerisinde satıcı kızlar, geceleri yanan sokak lambaları da görülmez burada. Ne halka açık meydanlar, ne düzenli gezinti yerleri, ne de bunları süsleyen heykel ve anıtlar vardır. Boş gezenlerin vakit geçirmeleri için hokkabazlar, şarkıcılar, kukla oynatıcıları da bulunmaz.Le Moniteur Ottoman'ın ve yurt dışından gelen birkaç yayının dışında, gazete de yoktur. Kitapçı, kulüp, tiyatro, müze, fayton ya da körüklü arabalar da görülmez.

Araba olarak şunlar vardır: 1. Çok alçak bir dingille makassız olarak oturtulmuş, bir ya da iki kişinin çektiği iki yanı kafesli ahşap bir kasadan oluşan, "teskere", 2. Üzeri yazın kaba bir muslinle, kötü havalarda da kalın bir örtüyle örtülen, iki öküz ya da mandanın çektiği makassız bir taşıt olan araba; 3. İki at koşulmuş, canlı renklere boyanmış üstü bazen sıra saçaklı parlak bir bezle örtülen, uzun, dar, hafif, yaysız bir araba olan, koçu . Teskereye, bayram günleri reayadan kadınlar ve bunların çocukları biner. Arabayla yük ve ağır eşya taşınır. Kenarları, içerdekilerin kendileri görülmeden dışarıyı seyredebilecekleri şekilde kafeslerle donatılmış olan koçulara ise, yalnızca müslüman kadınları biner. Bunlar her zaman çok yavaş gider.

M. Brayer, Pera'da hiç çan sesi duyulmadığını söyler. Bununla birlikte San Antonio manastırında, cemaati kutsal âyine çağırmak için, küçük bir çan çalınır. Yabancı elçilik görevlileri de meslekdaşlarının gelişini bu tür bir çanla haber verirler. Yani, Pera ve çevresinden sabahları İstanbul'a gidip, akşamları dönen kalabalığa ve böylesine dar bir alanda bu kadar çok kişinin iş görmesine karşılık, Pera'da gürültü çok azdır. Burada kavga, bağırma, vukuat olmaz; yalnızca, tüm başkent halkının dinlediği bir saatte, frenkin biri, bazen piyano, flüt ya da keman alıştırmaları yapabilir. Gecenin koyu sessizliğini yalnızca, güney rüzgârlarını haber veren bir baykuşun çığlığı, müezzinin yani müslüman din adamının, müminleri namaza çağıran gür ve etkili sesi, bir yabancının ayak sesinden ürken köpeklerin havlamaları ya da gece bekçisinin bir kaza ya da yangını duyurmak için yere vurduğu ucu demirli sopasının kaldırım taşlarında çıkardığı ses bozar.

Pera düzlüğünden karşılarda ilginç manzaraları seyretmek mümkündür: Önce, bir ucuyla Pera'ya yaslanan ve gezinti yeri olarak kullanılan müslüman mezarlığı küçük Kabristan. Buradan bakışta, karşıları seyreden her göz, gölge veren servi ortamına takılır. Aksi yöndeki tepeye doğru, Kaptan Paşa'nın ya da büyük amiralin sarayı görülür. Ardından, camileriyle İstanbul'ın bir bölümü, ve Eyüp tepesi gelir. Sağda İngiliz Sarayı, solda ise, frenk ailelerin oturduğu, yeni inşa edilmiş iki ya da üç katlı bir dizi ev göze çarpar. Kasımpaşa'ya doğru inen yamaçta karakollar, yokuşunun dibindeyse Kalyoncular'ın , yani bahriye askerlerinin kışlasına giden uzun bir yol bulunur. Sağda bir pazar yeri, ardından, Pera tepesi ile San-Dimitri tepesini ayıran vadiye geçen küçük bir köprü görülüyor. Kasımpaşa iskelesine, İstanbul limanı kıyılarını gezmede kullanılan birçok kayık ya da hafif tekne bağlıdır.

132 topun yerleştirilebildiği dört güvertesi olan Semlin'in de yer aldığı on- oniki gemiden oluşan türk donanması, limanda demirlemiştir. Daha uzaklarda ise, firkateynler, korvetler, brikler ve harp şulupaları göze çarpar. Liman öyle elverişlidir ki, en büyük gemiler bile rıhtıma palamarlanmıştır ve pruvaları neredeyse karaya değer.

Bu kocaman gemileri, sonra tepeleri tersanenin dış duvarı üzerinde görkemli bir biçimde sallanan ve çeşitli binalarla karşıtlık yaratan koyu renk bir perde oluşturan servileri seyretmek, pek hoştur. Eğlenmek ya da dinlenmek amacıyla yapılmış bu köşkler, bu belvederder; ayrıca bu camiler ve onların üzerinde yükselen ince uzun minareler, hayranlık uyandırır. Ancak, bu görkemli ve değişik manzaranın etkisi altındayken, bazen bir kişinin hafif bir suç yüzünden en azılı haydutun yanına atıldığı bir zındanın, bu kadar yakında olabileceği, kimsenin aklına gelmez.

Daha kuzeyde, yine İstanbul limanının Doğu kıyısında, kuzeyi bir tepeyle korunan, ancak güneyden gelen kızgın güneş ışınlarına tümüyle açık olan, Hasköy bulunur. Darphane idaresinin gümüşü eritip arılaştırdığı bina da, bu sağlığa aykırı yerdedir.

Frenklerin genelde Eaux-Douces dedikleri, Türkler'inse başka adlar verdikleri iki dere olan Yunanlılar'ın Kydaris'i ve Barbyses'i çamurlu sularını buraya yakın bir yere, limanın kuzey ucuna boşaltır.

Bu sular daha sonra Marmara'ya akar. Daha yukarıda ise, Türkler'in kullandığı ekşi yoğurduyla ünlü olan ve vebaya tutulan frenklerin karantinaya alındıkları Kâğıthane bulunur. Köy aynı zamanda yazın frenk ailelerin gezinti yeridir.

Pera'nın doğusunda, vebalılar hastanelerin bulunduğu büyük Kabristan yer alır. Bu noktadan biraz daha kuzeyde, Panagia'nın yani bu sözcüğün de belirttiği gibi pek Kutsal Meryem'in tasvirine tapınan rum ve ermenilerden oluşan bir kalabalığın meydanından hiç eksik olmadığı güzel San-Dimitri köyü seçilir. Büyük Kabristanda, birbirinden hiçbir duvarla ayrılmamış birçok mezarlık bulunur. Burada, katolikler, protestanlar ve ayrılıkçılar, yan yana ve barış içinde yatar. Pera çevresindeki alanlar, konumlarının güzelliği ve gölgeliklerinden ötürü frenklerin en sevdikleri gezinti yerleri olmuştur. Otuz metre kadar ileride, frenklerin Maisonnette adını verdikleri küçük bir yapı vardır; aslında bu, üzeri kapak taşlarıyla örtülü bir kanaldan suyunu alan bir haznedir. Güzel manzaralar açısından pek zengin olan bu ülkenin en hoş görünümleriden birini, bu yerden seyretmek mümkündür.

Kaynak:
Voyages nouveaux par mer et par terre dans les divers parties du Monde. Cilt V. Paris 1847, s. 158 vd.

Tepebaşı, henüz mezarlık iken... Biseo'nun deseni.

İKİNCİ DÖNEM BEYOĞLUSU

2) 19. yy'da 1853 Kırım Savaşı'na ve 1870 yangınına kadar, 50-60 yılın Beyoğlusu:

Biraz daha frenkleşmiş, yapılarda Avrupa taklidi karakterler belirginleşmiş. Ama azınlıklar hâlâ, çoğu Osmanlı stili ve ahşap olan evlerde oturuyor, "alaturka" bir hayat yaşıyorlar. Gelen resimler bunu gösterir...

Tanzimat döneminden sonra Osmanlı devleti, yarı sömürgeleşirken, bu oyunun bir büyük sahnesi vardı, bir de küçüğü. Büyük tiyatro Avrupa'da oynanıyordu, küçük bir kopyası da Beyoğlu'nda. Bütün temsilcilikler Beyoğlu'ndaki azınlıklara ve "lövantenlere" verilmiş, ünlü mağazaların uzantıları yine burada açılmış. 1840'lardan sonra gayri müslim vatandaşlarımız Avrupalılaşmağa başlamıştır. Evlerine mobilya girmiştir. Öyle ya, konuk gelen Batılı patron ya da adamları, yerde yemek yiyemez ki. Sonra çocuklar eğitim görmeğe, Paris ve Viyana'ya gönderilmiştir. Batı tipi yaşam böylece önce azınlıklara girmiştir. Oradan Saraya sıçramıştır. Saraydan da İstanbul'un kremasına yayılmış. Bütün bunları Cevdet Paşa çok güzel anlatır. Cumhuriyetle de halka iniş başlamış. İlk otelin 1841 yılında açılmış olması da bu yüzden, bir rastlantı değil. Tramvay ve tünel için de aynı şey söylenebilir.

Bu dönemde artık yeni bir Beyoğlu var. Sosyal içeriği biraz değişmeye ve zenginleşmeğe başlamış. Burada tarihe geçecek ve bugüne kadar hiç bir yerde yayınlanmamış başka bir bilgiyi de kaydedeyim: Bir süre sonra ayrı bir yazıda sözünü edeceğim Frej Apartmanı'nın sahiplerine türk damat olarak katılan dostumuz Feridun Dirimtekin, iç güveysi girdiği ailenin Kırım Savaşı sırasında yaptığı serveti anlatırdı. Gemilere ikmâl işini üstlenen kayınpeder, o kadar zengin olmuş ki, gümüş para, kasada değil, odaların birine yığılarak saklanırmış ve küçük küreklerle alınarak kullanılırmış. Yâ efendim. Vehbi'nin kerrâkesi işte böyledir.

1838 İngiliz Ticaret Anlaşması ile, Tanzimat döneminin politikası ile, Avrupa'da palazlanmaya başlayan ilk endüstrinin ürünlerini mecbûren buralara da göndermeğe başlaması ile... açılan yeni bir dönemin, Beyoğlu'na yansıması, bu sonuçları vermeye başmıştır. 1853 Kırım Savaşı'nda tarihte ilk kez olarak Osmanlı-İngiliz-Fransız askerî işbirliği, Beyoğlu'nda bir dalgalanmaya yol açmıştır. İşin özeti böyle. Artık 1850'ler ve 1860'larda yeni bir Beyoğlu vardır!

Sağda anıtsal kapısı ile Mekteb-i Tıbbiye-i Şahane (Bugünkü Galatasarayı). Soldaki konaklar ilginç. Abdülmecit döneminde bile, ya frenklere ya da azınlıklara ait olan bu binalar, hâlâ ahşap ve türk üslûbunda.

Şimdi, 1850'ler Beyoğlusu hakkında Batı'dan gelenlerin yazdıklarını biraz görelim.

Aşağıdaki ilk pasaj, Brayer'den alınma yukarıdaki parçadan 25 yıl sonrasında yayınlanmış bir esere aittir. Görüleceği gibi, bunun verdiği bilgiler, bir önceki kaynağa hiç uymuyor. "Bunların hangisi doğru" diye, akla bir soru gelecektir. Ama doğru olan, her iki bilginin gerçekleri yansıttığıdır. Onun için asıl sorulması gereken, arada, yani sadece 20 yılda, neyin değişmiş olduğu, Beyoğlunu bu kadar farklı bir konuma, hangi sebeplerin getirmiş olduğudur. Bu sorunun, iki cevabı, iki açıklaması var:

Birincisi, genel bir gelişmenin sürükledikleri. Osmanlı devleti ve ekonomisi yavaş-yavaş çöküyor. 1850'ler girince, ilk borç alınmış. 1838 İngiliz Ticaret Sözleşmesi, ilk meyvelerini vermeğe başlamış. Avrupa'da yeni kurulmuş endüstri, ürünlerini yolluyor ve Osmanlı pazarını istilâ ediyor. Bu tiyatronun sergileneceği en büyük sahne, Osmanlının başkenti idi, ve onun da, frenk mahallesiydi. İkinci, yan sebep ve hızlandırıcı etken, özel bir durum olan Kırım Savaşı olgusuydu. Bu olayın, Beyoğlu'nun bir çok kesimine altın yağdırdığını, bilmeliyiz. Aşağıda Frej Apartmanı örneğinde, onun somut bir kesitini göreceğiz.

O yüzden, 1860'lar girerken artık yeni -ve parlak- bir Beyoğlu var. Devlet mimarı fransız turisti Bay Marchebeus ta, o gördüğü kenti anlatıyor (*). Bu doğrultuda daha yüzlerce kaynak gösterebilirim ama, bu kitabım, ilmî bir Beyoğlu etüdü değil, Onu ileriye bırakıyorum. Şimdi bakalım, Paris'ten gelme mimar frenk, Beyoğlunda 1850'lerde ne görmüş:

"Pera'nın, bu kenar semtin, tepe çizgisi olan büyük caddesine dönelim. Daha önce söylediğim gibi, semtin en güzel binaları ve elçilik yapıları, burada dizilmiştir, hepsi de, fransız stiline yaklaşık bir zevkle dayalı ve döşelidir. En iyi mağazalar, café'ler ve İtalya'daki gibi restoranlar da buradadır. Herkesin üstü başı da, bizdekileri aratmıyor. Burada türklere çok ender olarak rastlanır. Ama her adımda, frenkler, Avrupalı ve rum hanımlar görülür ki, hepsi de, kesinlikle İtalyan ve Paris modasına göre giysiler, saç tuvaletleri, ve en şık aksesuar içindedir."

Bir başkası, yine Paris'li bir fransız, gezdiği Beyoğlu'nu, şu açık ve seçik satırlarla "meth-ü senâ" ediyor. (**):

Pera, sadece bir Avrupa mahallesi değil, aşağı yukarı bir fransız kenti. Burada sayımız fazla değil, fakat etkimiz fazla. Moda'nın buraya ithal ettiği, kopya ettiği, taklit ettiği, "biz"iz, ve şu sihirli cümledir:"Tıpkı Paris'teki gibi!". Bütün mağazalar, bu kurala uyar. Mevsim yeniliklerini görebilmek için, bizim gemilerimiz beklenir. Sanatçılarımız, lükse dayalı bütün endüstri kollarının başında yer alır.

Son 1848 yangınından sonra, Pera yenibaştan ve hemen-hemen tümüyle kârgir olarak inşa ediliyor... Mimarlar, kendi hayat güçlerine yelken açtıkları gibi, patronların şairâne arzularına da yer veriyorlar: Şu ev, bir İtalyan taraçasına, öbürü bir Paris cephesine, bir başkası, bir Malta balkonuna sahip. Hiç bir şeye benzemeyenleri de var tabiî!

Pera'nın bir de tiyatrosu var. İtalyan operaları şante ediliyor. fransız vodvilleri oynanıyor. Moliére, türkçe söyleniyor. Padişâhın şeref verdiği olağanüstü günler de yaşanıyor.

Gerçeği söylemek gerekirse, Osmanlı kesimi frenk gösterilerinden pek hâzetmez. Onlar Karagöz'ü tercih ediyorlar. Paradi' de epeyce rum, birinci kat localarında da hayli ermeni dinleyicisi var. Ermeniler, hayran-hayran dekorları seyrederler. Rumlar ise, daha ince zevklere sahiptir".

(*) Marchebeus: Voyage de Paris à Constantinople par bateau à vapeur Paris 1859, s. 175
(**) Louis Enault: Constantinople et la Turquie. Paris 1855, S. 378-381

Tepebaşı café'leri ve tiyatrosu yapılmadan önce, müslüman mezarlığı

19

*Tünel'den Galatasarayı'na yaklaşırken 19. yy. sonunda artık son şeklini alan Avrupa tipi yapılar. En soldaki bina,
şık bir mağaza. İçinde lokantası da var: "Au Bon Marché". Bunun 1950'lerdeki adı Karlman Pasajı'ydı.*

ÜÇÜNCÜ DÖNEM BEYOĞLUSU

3) 1871-1923 arası, 50 yılın Beyoğlusu:

Yangından sonra yeniden yapılaşmada bir Avrupa kenti görünümü alan semt. Dış ekonomik hegemonya altında frenklerle azınlıkların, kaynaşan yaşamı. Ülke ile ilgisiz, kopuk ve de ama parlak bir hayat. Oteller, balolar, café'ler, operalar dönemi. Gelen resimler de bunu kanıtlar...

1870 yılı, Beyoğlu için ayrı bir dönüm noktasıdır. O tarihte çıkan büyük bir yangın, eski Beyoğlu'nu ve azınlıkların bile ahşap olan evlerini, siler süpürür. Bundan sonra semt, neredeyse yeni baştan, kârgir olarak yapılmıştır. Bugün gördüğümüz Avrupa tipi güzel yapıların çoğu, bu yangından sonra yapılmış binalardır. daha eskiden arta kalmış pek az yapı vardır. Benim 1947'de lise öğrencisi olarak çalışmağa başladığım Turing Kurumu'nun bulunduğu bina, bu eskilerden biriydi, içi ahşaptı, caddeye de bir metre kadar çıkmış, eski konumunu sürdürüyordu. Cumbasından bakınca hem Taksim, hem Galatasaray gözüken, tek yapıydı. Demek ki yangından önce bir çok yapı, bu durumdaymış.

Bugün gördüğümüz fiziksel Beyoğlu, işte bu 1870 yangınının sonrasında biçim alan şehirdir. Yapılar yeniden oluşurken, içindeki hayat da değişmiştir. Yarı kapitalist, yarı sömürge bir diyarda zenginlikler birikirken, yoksulluklar ve döküntüler de artar. Biri öbürünün doğal bir sonucudur. Benzetmek gibi olmasın, bir vücutta kalp, beyin ve ciğerin yer alması gibi, bağırsaklar da onları tamamlar. Beyoğlu'nun yabancıları ve azınlıkları palazlanırken, onların yan ürünleri de bu devirde türemeye başladı. 33 yıl süren Abdülhamid devri bu kesitin içinde yer alır. Bu Beyoğlu'nu değerlendirirken, şöyle bir genel karakter tanımlaması yapılabilir: 1850-1923 arası kesitinin Beyoğlusu, çoğunluğu ile, çok seçkin ve üst düzey bir hayatı yaşamaktadır. Avrupa'da bir oyun sahneleyen dönemin en ünlü sanatçıları, yeni işlemeye başlayan yataklı vagonlara atladıkları gibi, aynı temsil ve konserleri, Beyoğlu'nda verirler. Oteller ve lokaller, Avrupa benzerlerine yakındır. Bıçakçı Petri'nin cinayetleri de arka sokaklarda işlenir ama, her şey, bir hesap ve kitap meselesidir: Çoğunluk sahnesi, görkemlidir. Bu Beyoğlu, %90, görkemlidir, parlaktır, nezihtir, üst düzeyde ve kalitededir. Sadece, doğal olarak, Türk/müslüman değildir.

Gloria (daha sonraki adıyla, Saray) Sineması bitişiğinde Luxembourg Café ve bilardo salonu.

Mölon şapkalı frenkleri, koyun taşıyan hamalı ve Tünel'deki tekkesine giden mevlevî dervişi ile 19. yy. sonunda Beyoğlu.

Banker Zarifi Ailesinde düğün. Çağdaşı olduğu Londra/Paris sahnelerinden farksız bir doku.

25

Kıvamını bulan Pera. "Türkuaz" Lokali, 1920'ler Paris'inin bir kopyası.

19. yy. sonunda Galatasarayı. O dönem Avrupa metropollerinin bir eşi.

1800'ler sonu ve 1900'lar başı Beyoğlusu'nun "nezih"liği üstüne ilk elden bir belge ve önemli bir kanıt:

Refik Halid Bey 1963'te, geçmişe dönerek, şu satırları yazmış: (1980'lerin sun'î ve tuhaf yorumlarını bilmeden, tabiî).

"O devirlerde polis, vatandaşları da, turistleri ve ecnebileri de, eğlence hususunda bezdirici tehditlere tâbi tutmadığından, Beyoğlu hem hür, hem neşeli, sabahlara kadar açık ve bütün serbestliğine rağmen, belki de bundan ötürü, zabıta vakası az bir şehirdi.

Herkes haddini bilirdi; bilmeyenler Galata'dan yukarıya çıkmazlardı. Galata bir kalbur ve bir süzgeç vazifesini görür, aşağıda kalacakları tutar, yukarıda yer alabilecekleri ayırıp Beyoğlu'na salıverirdi.

Değil yatsı saatinde, sabaha karşı bile Beyoğlu caddesinden geçen kadınlar, korkuyu hatırlarından geçirmezlerdi. Adeta terbiyeli bir şehirdi burası! İnanmamakta haklısınız.

Ondokuz yaşında tâ sürgüne gidinceye kadar yıllarca Beyoğlu'nun gece hayatında eğlence namına yapmadığımı bırakmadığım halde, başımdan en ufak vaka geçmedi; yanımdakiler -söz atmak şöyle dursun- yan ve dik bakana bile rastlamadım. Ne atıştık, ne kapıştık, karakolluk olmadık kısacası!

Değil aile kadınlarına, cümle âlemin tanıdığı kızlara dahi - hayrettir vallahi- kimse kem gözle bakmazdı. "Parasını veren düdüğünü çalar" sözü o zaman, Beyoğlu âlemlerinin efendi halkı için bir düstur veya "racon" idi. Yine o devirlerde eşkiyalığın ve başka şerirliklerin bile bir "adap ve erkânı" yok mu idi?

Abdülhamid devrinde ve pek tenha yer olan Maslak yolunda, araba gezintisi yapan tebaamızdan bir banka direktörünün güzel ve oynak eşine tecavüz edilmiş, fakat canına ilişilmemişti. Keza Birinci Dünya Harbi'nde de bir Alman kumandanının atla gezinen karısı ile kızı da rivayet bu, aynı âkıbete uğramışlar, "salim" değil, ama "sağ" dönmüşlerdi. Geçen ay Sakarya suları kenarında işlenen menfur cinayete lüzum görülmezdi, eskiden."

Kaynak:
Refik Halid Karay, <u>Bir Ömür Boyunca</u>, 1. Baskı, İletişim Yayınları İstanbul, 1990, s. 197

Constantinople.
Grande Rue de Péra.

بك وعلى غلطه سراي

*Kıvamını bulan Pera. Sağdaki bina 1940'larda yıktırılan kaymakamlık ve karakol. Yeri, **bugün**
Galatasarayı Lisesi'nin yanından inen yokuşun **başı**.*

*"Cadde-'i Kebir" adı, "İstiklal Caddesi" levhası ile
değiştirilirken. Yıl 1923. Şeref yılı.*

DÖRDÜNCÜ DÖNEM BEYOĞLUSU

4) 1923-1950 arası 25-30 yılın Beyoğlusu:

Cumhuriyet ekonomisi içinde, frenklerin çoğu ayrıl-
mış. Avrupa görüntüleri, operalar, café-chantant'lar,
balolar iyice azalmış. Türk nüfusun seçkin kesimi yer-
leşmeğe başlıyor. Tablo olarak sâkin, temiz ve seçkin
bir yerleşim. 1940'larda ilk bozulmalar başlar. Gelen re-
simler de 1923-1950 arasını yansıtır.

Şimdi geldik, Cumhuriyet devrine. Beyoğlu için 4. dönem. 1960'lar ve ötesi ise, 5 inci olur.

Bildiğimiz bu semtin 5 bölüme ayrılması doğru mu diye düşünülebilir. Ne yapalım, toplum ve ekonomi konuşuyor. Hızla değişen bu şehirde, bu frenk yakası da, nasibini alıyor. O kadar ki, 1930'lar Beyoğlusu ile 40'lar Beyoğlusu bile, farketmiştir. Hikâyeye devam edelim:

İmparatorluğun çökmesi ve başkentin Ankara'ya taşınması ile, Beyoğlu önemli bir sarsıntıya uğradı. İki büyük değişiklik oldu: Önce elçilikler, Ankara'ya gitti. Onların büyük saray binaları, konsoloslukların zayıf kadrosuna kaldı, yani boşaldı. Sonra Cumhuriyet yönetiminin giriştiği devletleştirmelerle ticarî rollerini kaybeden bir çok sömürgen yabancı ve lövanten, Türkiye'yi terketti. Onların yerini ucun-ucun, türkler almaya başladı.

Bu 1920'li ve 30'lu yıllar Beyoğlusu, benim 1939 yılında ablamın Süslü Saksı Sokağı'na taşınması ile, son vagonuna yetişerek bindiğim bir trene benziyordu. Eni-konu temiz ve seçkin bir çevreydi. Sade binaları değil, insanları da gerçekten öyle idi. Nüfusundan bir grup gitmişti ama, eski bileşiminin büyük kısmı duruyordu. Sonra ülke ve şehir, Cumhuriyetin onurunu kazanmış olduğu için, bütün atmosferde bir mutluluk ve temizlik vardı. Biz bunu yaşadık. İstanbul'un tüm halkı da zaten 1 milyonun altındaydı. Şehir halkı yüzyılların birikimi ile, durmuş-oturmuş bir kıvamdaydı. Üstelik Beyoğlu, karşı tarafta gittikçe yoksullaşan ve ekonomik sebeplerle kendini yenileyemeyen köhne İstanbul'a göre, daha varlıklı bir kesimi barındırdığı için ve Beyoğlu'ndaki gayri-müslim nüfus, eğlenmeye ve "dışarda yaşamaya" daha alışık olduğu için, burası, bir çok tiyatrosuyla, müzikli kahveleriyle, daha üst ve daha Batılı bir hayatı yaşıyordu. Bu, açık ve kesin. 1928 tarihli bir turist klavuz kitabı, akşam 5 çaylarında müzik yapılan 6-7 lokalin adını veriyor. Bugün bile onca değişiklikten sonra, böyle bir şey var mı? Bu dönem Beyoğlusunda kötü yerler vardı, ama çok azdı. Bugün yeni bir imara çanak tutmak için değil, içtenlikle eskiyi özleyenlerin sözünü ettiği atmosfer, işte bu 20'li ve 30'lu yılların havasıdır. Bunda da ne kadar özlem çekseler haklarıdır. Çünkü böylesine uyumlu ve tutarlı bir çevre, dünyada bile her zaman bulunmuyor. Nerede kaldı İstanbul'da. İşte bu 60-70 yıllık dönemin seçkin Beyoğlusunu, özellikle de 1920-1950 arasını, küçümsemek hakkına, kimse sahip değil.

Selefim olan Duhânî, 1890'lar ve 1920'ler dilimini, yansıtmıştır. Yakında bir kitabını daha yayınlayacağım. Yazdıkları, yaşadıklarıdır. Onun doğal ve yapmacıksız hikâyesidir. Kendisi bir sefir çocuğu, hiç bir kompleksi yok. Yani bugün ortaya çıkan antitezlere karşı bir abartma yapması da bahis konusu değil. O yüzden, bugünkü birtakım özentilerden de, onlara kızıp kitap üreten yeni yorumculardan da, uzakta, herkese ışık tutan, ölümsüz bir kaynak niteliğindedir. Aslında Beyoğlunun köşe-bucağı için Duhanî'nin tanıklığına bile gerek yok. Yüzyılın başından 1950'lere kadarki dönemin telefon rehberleri karıştırılırsa, ara sokaklarda kimlerin oturduğu ve o dönemde bu arka plânların bile nasıl seçkin bir dokuyu sergilediği, kolayca anlaşılır. Burada yer olsa, ben bile tanıdığım isimleri kaydederim.

Bu Beyoğlu da, ilk bozulmaları, II. Cihan Savaşı içinde, yani 40'lı yıllarda gördü. Bu dönemde ne oldu? Sırası ile şunlar: Savaş doğallıkla, kıtlık getirdi. Kıtlık da, az gelişmiş ülkelerde hemen bir olayı başlatır: Karaborsa. Bu pis kazanç biçimi, taşrada, üretim yapan büyük arazi sahiplerini zengin etti. Ellerine para geçen bu kesim, İstanbul'a damladı. Nereye gidecekler? "Sâkin ve kadîm Kocamustâpaşa" -ya değil ya! "Saz ve caz"ın bulunduğu Beyoğlu'na akın etmeye başladılar. Bu mıknatıs, konsomatris ve aracı cinsinden insan sayısını attırdı. İstanbul edebiyatına "Hacı Ağa" deyimi girdi. Sadece bu isim bile, Beyoğlu'na bir şeyler eklendiğini göstermeye yeter. Bugün batakhâne dediğimiz lokal ve yuva cinsinden odaklardaki artış, 1940'larla başlamıştır. Ama bir dönemin hastalığı, daha öncesine bulaşmaz ki.

Türkiye'de çok şey değiştiren 1950 yılı, Beyoğlu'na etki yapmayacak mıydı? Yaptı tabiî. Nüfus ülkede hızla artarken ve büyük şehirlere dolarken, Beyoğlu da payını aldı. Politik büyük olaylar oldu. 1955'te (onu Çiçek Pasajı yazımda anlatacağım) Beyoğlu kırıldı, yağmalandı. Rumlar gitti.

İstanbul şehri içinde, o yakasıyla da, bu yakasıyla da, yeni bir kent ortaya çıktı. Bu dönemi hep biliyoruz, uzatmaya gerek yok. Son 30 yılın Beyoğlusu, peteği duran, ama balı boşalmış ve yerine başka bir şey doldurulmuş bir kovana benzer. Binalar var, içi başka. Ben de bu yeni dönemi kitabıma almıyorum. Kitabım 1950'ler sonunda bitiyor.

Ancak, işte görüldüğü gibi, tarihte tek kişilikli ve tek içerikli bir Beyoğlu mevcut değildir. Bunun her devresinin ayrı değerlendirilmesi gerekir. Onun bir dönemine eli daldırıp, kanıtlar çıkararak, bambaşka bir döneme uygulamak ve bu uğurda kitaplar üretmek, bilimsellik değildir, polemiktir.

Şimdi, elde kalan bu cins bir yapı malzemesine, çağımızda iki alan, iki konu yakışıyor: Halk için kültür kullanımları ve hem halk, hem yabancılar için, turizm kullanımları! Onu yapalım.

Saray Sineması

32

Nazmi Ziya'nın fırçası ile, 1930'lar Taksim Meydanı. Halk, gelen geçen, bu tablodaki gibiydi: Temiz ve seçkin.

Atatürk, İngiliz Kralı Edward ile geçiyor.

34

Beyoğlu mağazaları, dünya çapında önemli ve zevkli bir müşteriye sahiptir: Atatürk. (Ph.S.Giz)

Cumhuriyet'in mutlu ve onurlu geceleri. (Ph. S. Giz)

YAPILAR VE DE ANILAR...

1971'de apartman.

FREIGE APARTMANI

Beyoğlu'nun genelinde bir süre gezindikten sonra, şimdi de birkaç yazı ile, bildiğim köşe bucağının önünde durup biraz sohbet edelim. İleride Beyoğlu'nu bilimsel olarak yazacak olanlar çıkarsa, ya da, anlaşılan batmakta olan dünyada buna vakit kalırsa, bu ilk elden bilgiler, onlara kaynak ve malzeme olabilir.

İlk durağımız, Beyoğlu'nun dış görünüş olarak en "heybetli" binası önünde olsun.

Şu aylarda Şişhane Meydanı'ndan geçenler, Bankalar Caddesi köşesindeki büyük yapının onarılmakta olduğunu görüyorlar. Daha doğrusu tam onarılmıyor da, birçok benzeri gibi, içi yıkılıp, betondan tekrar yapılıyor. Dış dört duvarı onarılıyor. Restorasyonun taklidi. Bu meseleye başka bir yazıda tekrar değineceğim.

Galata'dan Bankalar Caddesi'ne girip tramvayla Beyoğlu'na doğru çıktığımız çocukluk yıllarımda, önce burasının değişik ve ciddî havası beni sarar, sonra Meydan köşesindeki bu görkemli bina önünde, saygı ile karışık bir de korku duygusuna kapılırdım. Ömrümde gördüğüm en süslü ve alımlı bina, buydu. En hayretimi çeken yanı da, pencere üstlerine oturmuş, heykelleriydi.

Çok sonraları Paris'e gidince, İşin aslını anladım.

Yine sonraları kısmet oldu, sahipleriyle de dostluğumuz kuruldu. Garip dünya. Önünde neredeyse şapkamı çıkarasım gelen yapı, böylece zamanla, yani ben büyüdükçe ve Beyoğlu ile "ünsiyetim" arttıkça, gözümde önemini yitirdi, daha doğrusu, sıradanlaştı.

Yöneticisi bulunduğum Kurumun 1940'lı yıllar üyelerinden saygın bir tip, Feridun Dirimtekin'di. Asker kökenli, İstiklâl Savaşının genç ve seçkin kurmaylarından, (Trikopis'in kılıcını teslim alan subayımız), daha sonra tarih ve arkeolojiye merak sarmış, uzun süre de Ayasofyanın müdürlüğünü yapmış, bir yandan sevilen, ve daha çok da, sayılan, bir yönetici tipi. 1950'li yıllarda onunla Kurumda çok çalıştım. Dergiyi beraber çıkardık. Sonra da 1975'te başkanlığa getirdik. Az sonra da, bir kaza sonucu vefat etti.

Bu sütunda vereceğim bilgiler, kendisinin eşinden dinlediklerimdir. Çünkü bina bu hanım'ın ailesine ait. Dirimtekin de, subaylığı yanında, hayli aristokrat kişilikli. Ünlü Arnavutluk soylu ailesi olan Dukakinzâde'lerden geliyor. Onların mühürlü akik taşından yüzüğünü taşıyor. Havalı bir centilmen. O hüviyeti içinde "Frej Ailesine" de rahatlıkla damat olmuş ve yerini de doldurmuş.

Bina, bu yüzyıl başında yapılmış. 1905 veya 6 olmalı. Sahibi, tam adıyla, "Selim Hanna Frej". (Freige), Beyrutlu, Hristiyan bir aile. Sanırım Marûnî Cemaatinden. Bir Beyoğlu Lövanteni. Hayli servet sahibi. O kadar ki, bu yıllarda artık çalışmıyor da. Binasının yapımı 4 yıl sürmüş. Mimarı, Kyriakidis. Onun hakkında fazla bilgi olduğunu sanmıyorum. Fakat hazret, dönemin modasına uymak ve Beyoğlulu bir burjuva ailenin bütün beklentilerine ve beğenilerine cevap vermek ihtiyacı ile, işine epeyce özenmiş ve cepheye de hayli yüklenmiş. Cephedeki heykellerin bir kısmı, çıplak kadın vücutlu imiş. Fakat Abdülhamid döneminin sonlarındaki hava, henüz bu kadar sanat özgürlüğüne elvermediği için, bunların konulmasından vazgeçilmiş. Elde kalan yontular sonra ne olmuş, not etmemişim. Mal sahibi de, hiç bir özveriden kaçınmamış. Dış yüzü Malta'dan getirilen taşla kaplandığı gibi, merdiven mermerleri de tümüyle İtalya'dan ithal edilmiş. Bina bittiğinde, dönemin büyük konforu olan havagazı donatımı kurulmuş, fakat elektriği henüz yok. Abdülhamit ancak onu kendi sarayına, Osmanlı Bankası ve Pera Palas'a çektirmiş. Frej'lerin grado'su, bu çizginin birazcık altında kalıyor. O yüzden elektrik konforuna, ancak Meşrutiyette kavuşuluyor.

Mal sahibi aile, ikinci katı seçmiş. Selim Hanna, burada ancak 2 yıl oturabilmiş. İki oğlu, bir kızı var: Jan, Alfred ve Anjel. Alfred, Fransız dedenin adı. Selim Bey'in de, babası Arap, annesi Amerika'lı. Hanımı Polin, Beyoğlu'nun ünlü ve zengin Glavani ailesinden. Glavani'ler, kısaca söylersem, Tepebaşı Meydanının sahipleri! Bugünkü Kallâvî sokağı adı, Glavani'nin bozulmuş şeklidir!

Karşısında bulunduğumuz yapı, işte böyle bir yaşam resminin altın yaldızlı çerçevesidir. Bu kısa yazıda onun hikâyesini çizmeye çalıştım. Tabiî yazı sonunda, bu cins binaların içini yıkıp betondan çıkaranlara da, bir mesajım olabilir: Yıkın bakalım, ıslak çimentonuz, "koruduğunuz" cephenin içindeki romanı örebilecek mi?

Yapının sahiplerine gelince, benim gençlik yıllarımda bile, onların hepsi ölmüştü. Görkemli apartmanı da Dirimtekin ve eşi, 1948'de, 150 bin liraya elden çıkarmışlardı. Bu sayıyı kaçla çarparsanız çarpın, bugünkü değeri çıkmaz. Yirmide birini bile bulmaz. 1940'lar İstanbulu, bir milyonun altında kalan nüfusu ve yoksul ekonomisi ile, böylesine küçük ölçülü idi. Adına arsa spekülasyonu denilen olayla tanışma, çok şeyi değiştiren 1950'den sonradır.

Dolmabahçe Sarayı'nda görkemli bir resepsiyon. Solda Feridun Dirimtekin, ortada eşi Aysel Hanım, sağda Arkeoloji Müzelerinin bilgin ve saygın müdürü, Aziz Ogan.

BAYAN ANJEL

Bu yazı, Frej Apartmanı yazısının bir devamı. Bu kez yapının değil, evin kızının hikâyesi. Geçenlerde, Kilyos yamaçlarını konut tutmuş yaşlı bir hanımı anlatmıştım. O da bir İstanbul kadını, bugün yazacağım da. Birisine, yaşamın bütün çilesini çekmek düşmüş. Ömrünü, koca denize karşı, teneke bir kulübede noktaladı. Bugünkü, yaşama Beyoğlu'nun ortasında ipekle döşeli altın bir beşikte başlamış, uzun bir çizgi o doğrultuda gitmiş, ama sonu, öbürkünden farklı değil. Hatta daha da beteri. Çünkü Bulgaryalı Şefika Hanım, doğduğu diyara baka-baka, kar fırtınaları içinde, ama özgürce, son nefesini verdi. Anjel Hanım, bir beton kafeste, hem de tutsak olarak, 1988'de yitip gitti.

Onun hikâyesi, geçen yazıda sözünü ettiğimiz, Şişhane'nin görkemli apartmanında başlıyor. Baba Selim Hanna Frej'in iki oğlu ve bir kız evlâdı olduğunu yazmıştım. Vefatında oğullarından yalnız biri kalmış olmalı ki, mirası sadece iki çocuğuna bölüştürülüyor. Apartman, oğluna, dairedeki antika eşyalar, kızı Anjel'e. Bundan, şu kesin sonuç çıkmaz mı: Eşyaların değeri, binaya eşit. Bu durum önemli, çünkü 1970'lerin sonunda gündeme geldi.

İstiklâl Savaşının başarılı kurmayı, Dukakinzade Feridun Bey, 1930'larda önce Ankara'da görevler alıp, sonra İstanbul'da Frej'in kızıyla evlenerek bu Beyoğlu binasına yerleştiğinde, ailenin el bebek-gül bebek kızı da, Aysel adını alıyor. Feridun Bey tarihçiliğe koyulup 1940'larda önce Eminönü Halkevi yöneticiliğine, sonra da Ayasofya Müzesi Müdürlüğüne getirildiğinde de, bu Bizans yapısının Osmanlı eklentisi Hünkar Mahfeline taşınıyorlar. Kapısı üstünde Abdülmecid'in tuğrasını taşıyan bu taş binanın içerisi, antika eşyalar dolayısıyla, bir müzeyi andırırdı. Kültür Varlıkları Yasası gereğince de objelerin tam bir listesi yapılıp Topkapı Müzesi'ne verilmiş durumdaydı. Bir nice yıllar, böyle akıp gitti. O zamanki sosyetenin ve yabancı koloninin terminolojisi ile, "Mösyö ve Madam Dirimtekinler", resmî ve diplomatik her davetin, görülen ve aranan simaları idiler. Feridun Bey, tabiî çok klasik giyinirdi. Kışın koyu renkler, gereğinde boyundan asma yabancı nişanları ile fraklı, yazın mutlaka açık renk ve beyaz kostümlü. Aysel Hanım, moda olan rengârenk emprime giysileri içinde. Ama ille de, şapkaları. Nereden bulurdu o şapka tiplerini, yarabbi? Tepebaşında İngiliz Konsolosluğu köşesindeki Alp Otelinin altında Macar Madam Laszlo'nun dükkanından, ya da az ötedeki Hacopulo Pasajından aldığını hiç sanmıyorum. Çünkü Beyoğlu'nun, dolayısıyle de bütün İstanbul'un

tek kadın şapkacıları olan bu küçük, sevimli ve renkli köşeler, pek üst tabakanın devam ettiği yerler değildi. Sanıyorum, seyrek olarak çıktıkları Avrupa gezilerinden, diyelim Feridun Bey'in katıldığı arkeoloji kongreleri için gittikleri ünlü Avrupa merkezlerinden alıyordu, Bayan Dirimtekin, bu tüllü, tüylü, çiçekli ve kuşlu zarif şapkalarını. Her kokteylde de, herkesi gözucu ile kendisine baktıran, şen kahkahalarını patlatıyordu. Kendine göre nüktelerine, akla hayale gelmeyecek sorularına, ve tebessüm uyandıran kritiklerine de, alışılmış gibiydi. Bir resmî yemekte estiği zaman, masanın uzak bir tarafında oturan eşine Fransızca olarak "sıkıldığını" seslenmesi de, epeyce hayret uyandırmakla beraber, yeniden davet edilmelerine engel de olmuyordu. "Bu kentteki yaşamları" bu minval üzere giderken, tabiî sonunda Feridun Bey emekli oldu. Nişantaşı'nda kiralık bir daireye ancak sığıştılar. Madam ve Mösyö, belli soylu çevrelerin hâlâ makbul kişileri idiler. Ama bu hayatta hangi iş, sonsuza kadar gider! Bir gün dostum Feridun Bey, apartman önündeki bitmez tükenmez elektrik, telefon... kazılarından birine düşerek, kalça kemiğini kırdı. Az sonra da kalbinin dayanıksızlığından, yaşama veda etti. Ondan sonra, o zamana kadar renkli bir Avusturya operetine benzeyen yaşamları, bir eski tragedyanın sahnelerine dönüşmeye başladı.

Neler oldu bu vefattan sonra? Neler olmadı ki? Ama her zaman değindiğim gibi, Türkiye'de özellikle yazı hayatı, yere döşeli hukuk mayınları ile dolu. Hiçbirine basmadan da, gerçek romanlar üretmek o kadar zor ki. Bereket, bana ayrılan sütunun, sonuna gelmiş bulunuyoruz. Ben de bu son pasajlara şunları sıkıştırayım: Rahmetlinin bana kaygı ile, bir kez naklettiği olasılıklar, bir-bir gündeme geldi ve üzüntülü bir film şeridi hızla, akmağa başladı: Bu acı filmin senaryosunun sadece bölüm başlarını yazayım:

Feridun Bey'in en yakını, Aysel Hanım'a deli raporu çıkartarak önce Akıl Hastanesine, sonra Huzur Evine naklettirdi. Tahliye bekleyen apartman hemen boşaltılıp, sahibince yıkılması sağlandı. Antikalar, bu "Vasi"nin evine nakledildi. Bu vasi de dünyadan ayrıldı. Onun bir yakını atandı. İlgili olarak biz bu işlemlerin hepsine itiraz ettik. Aysel Hanım'ın aklının yerinde olduğuna dair heyet raporu sağladılar. Yargıç bizim Kurumun davasını reddetti. Yargıtay kararı bozdu. Hakim ısrar etti. İnanın, yıllar böyle geçti ve ben usanıp, işin ucunu bıraktım.

Unutuyordum, onu da ekleyeyim: Bir gece hırsızlar girip bütün antikaları vasi'nin evinden alıp götürmemişler mi? Ne dersiniz, bu da bir kader!

Ama sonunda, bu kentin yaşamında, iki ayrı uçta iki hanım, İstanbul'dan ayrılmış oldular. Biri karlar içinde, Karadeniz kıyılarında, öbürü bir Beyoğlu Sarayından, bir Bakırköy odasına geçerek...

Ve, yine gariptir, sevgili eşi Feridun Bey gibi, yere düşerek ve aynı kalça kemiğini kırarak...

Ama asıl düşmesi, Feridun Beyin gözlerini dünyaya yumması ile, yalnız başına kaldığı gün olmuştu, diyebilir miyiz?

Feridun Dirimtekin

İSVEÇ SARAYI

Bu dizide, Beyoğlundan söz ederken, daha çok İstiklâl Caddesinde geziniyor ve kişisel anılarım olan yapıları anlatıyorum. Bugün, Tünel'e yakın bir konumda olan, önü bahçeli bu frenk konağının önünde duralım. Burasının, İstanbul kenti ile fazla bir ilişkisi olduğu söylenemez. Benimle de öyle. Eskiden ara-sıra katıldığım resepsiyonları dışında. Hatta özel bir mâcerası, dalgalı bir yaşamı bile yok. Kuzey'den bu diyara inmiş, neredeyse bir buz dağı kadar, soğuk mu desem, saygıdeğer bir bina. Ama işte, bu çevreyi süsleyen, önemli bir yapı, o da. Yüz yıllık bir komşumuz. Stockholmde çıkmış bir eseri özetleyerek, onun da hikâyesini türkçeye ilk kez aktarmış olayım. Gün gelir, kimilerinin işine yarar.

Her şey, Demirbaş Şarl'ın Osmanlıya sığınması ile başlamış. Onun dönüşünden sonra İsveç Krallığı, İstanbulu ihmal etmemek gereğini anlamış. Çünkü ikisinin de ortak bir kaygısı var: Gittikçe palazlanan Çarlık Rusyası. Önce 1734'de Majesteleri yeni Kral, iki genç adamı ilk hazırlıklar için gönderiyor. Onların olumlu raporu üzerine, 1750'de sürekli temsilci geliyor: Celsing. Bir yandan da, İsveçte kilise, Osmanlı elindeki eski tutsakları, fidyelerini verip kurtarmak (yâ, daha düne kadar insanlığın hâline bakın), İstanbulda bir protestan kilisesi yapımı, yoksullara yardım ve öğretmen aylığı amaçları ile, kampanya açıyor ve para topluyor.

Celsing'in, Beyoğlundaki elçilikler saraylarındaki gibi yaşamak hırsı, ilk duygusu oluyor. Nasıl yapacak bunu? İsveçte o zaman fazla bir para yok. Aklına kilise fonu geliyor. Elçilikle kiliseyi aynı binada toplamak gerekçesi ile, o fonu getirtiyor. 13.663 Risk-daler. Sonra hızını alamayıp, ve vaad ettiği kurulları da bir yana bırakıp, paraya bir dalıyor. Üç kişinin katılımı ile: Kendisi, Elçilik sekreteri (o da, kardeşi) ve bir tüccar dostu. Fon, %8 ile bu tâcir Palm'e yatırılıyor. 1755. İki yıl sonra da, ingiliz tâcir Lisle'ın buradaki evi 6 bin duka altınına satın alınıyor. Onun da 1/4'ü kadar yüklü bir paraya, o ahşap konak onarılıyor, dayanıp döşeniyor. Giriş katının bir salonu da, kilise yapılıyor. Bütün göz alıcı döşemesi ile, duvarı kırmızı ipek kumaş kaplaması, sırma kordonlar, kadifeler. Bizi ilgilendiren, bütün döşeme malzemesinin yerli oluşudur. Kraliyet arşivinde, kadifelerin Bursa işi olduğu yazılı. Koca Reşit Paşanın ekonomiyi ingiliz endüstrisine teslim etmesine daha tam 80 yıl olduğu için, dokuma tezgahlarımız henüz çökmemiş. Elçi Sarayını Bursa işleri süslüyor.

Becerikli elçi Celsing'ten sonra tabiî, art-ardına yeni temsilciler geliyor. Önce, bir lövanten hanımla evlenen Heidentam. O hem ahşap konağı onarıyor, hem de üst kata Fransız elçiliğinin katılımı ile, amatör bir tiyatro kuruyor. Afişlere de fransız usulü bir uyarı konuyor. "Biletleri olsa bile, vebâlılar alınmaz!" Vebâlılar da, hizmetkâr kesimi. E, henüz 1798 ihtilaline vakit var.

1790'da Per Olop v. Asp geliyor. Ordan sonra, ermeni kökenli Muradgea d'Ohsson. Bu zat, daha önce orada Baş Tercüman. Hatta uzun süre, caddeye bakan 3-4 odalı bekçi evinde oturmuş. Sonra İsveçleşince, elçiliği koparmış. Ama tarihe geçişi bu saltanatlı görevi dolayısı ile değil. Paris'te yayınlanan 3 koca cilt "Tableau Général de l'Empire Ottoman" yapıtı nedeniyle. Anıtsal bir çalışma.

Tarih kuşağında, daha sonra, 1799'da König, elçi oluyor ve ahşap yapıya onarımlar ekliyor. 1893'de Nils Gustav Palin geliyor. D'Ohsson'un isveçli damadı. O da 1806'da bir restorasyon yaptırıyor ise de, 1800 ve 1811 yangınlarında bina epeyce zarar görüyor. Ahşap İstanbul ve ahşap Beyoğlu, durmadan tutuşmaktadır. Alevler de, diplomatik bağışıklık tanımazlar. Ne var ki, yangında zararın, alevlerden çok, tulumbacıların avanta koparması ve eşya kaçırmasından kaynaklandığı, resmî raporlarda yazılı.

1818 yangını ise, ahşap binayı tam kül eder. Eklenti yapılar kalır. Elçi Pelin, 1823'de alkolizm nedeniyle azledilir. Yerine Gustaf Löwenhielm gelir. Ama arada önemli bir gelişme olmuş, İsveç Kralı, Çar'la anlaşmıştır! İşte böyle. Devletlerin dostluğu, sağlam kazıklar üstüne kurulmaz, oynak bilyeler üstünde durur. Problem şu ki, çağımızda kişisel dostluklar da aynı duruma geldi.

1832'de, Venedik Sarayı dışında bütün öbür elçilikler bir yangında enkaz olurlar. İsveç'in İstanbulu defterden silmesi yüzünden, değerli okuyucularım, 1818 ile 1870 arası gibi uzun bir süre, tahta Konağın yeri boş kalır, elçilik personeli de cadde üstündeki küçük binada çalışır. Ama elçinin biri gider, biri gelir. 1829'da, İhre, 1838'de lövanten Testa, 1858'de Norveçli Georg Christian Sibbern elçi olurlar. Norveçli, Osmanlı başkentindeki İsveç üssünü, pislik ve enkaz olarak nitelendiriyor. Kendisi de, ev buluncaya kadar, bir odayı perde ile bölüp kullanmış! Verdiği bilgilerden, onlarla beraber kimi diplomatların da, yemeklerini yakındaki bir otelde yediklerini, 10 franklık bu mönü'nün, elçilikte mutfak kurmaktan daha ucuza geldiğini öğreniyoruz. 1862'de Peter Collett, Oscar Magnus Bjirnstiyerna, 1866'da Karl Frederik Herman Palmstierna, elçi oluyorlar.

1869, bu arsanın yine talihi parlıyor. İsveç mi daha paralanmış, yine Rusya ile araları mı bozulmuş, bilmiyorum, yeni elçi Stenersen, bugünkü Saray binasını yükseltiyor. %6 faizle kredi buluyor. Cadde üstüne dükkânlar yaptırıyor. 10 bin altın masraf ile, dükkânların kirasına güvenerek, İsveç Sarayını dikiyor. mimarı, Avusturyalı Pulgher. Arkeoloji ve sanat meraklıları, bu adı da, Kariye hakkında -hâlâ kullanılan ve bizde bir tıpkı basımı yapılan- mimarî çalışması ile tanırlar.

1871 kışında, yeni elçi Selim Ehrenhoff (eski Tanca Konsolosu), gösterişli yapıyı görkemli bir balo ile açmış.

Eski baloları zâten artık hiç bir elçilik yapmıyor ya, bildiğim kadarı ile, İsveç Sarayında öbürleri gibi geniş dâvetler de verilmiyor. Temsil edilen ülkenin kendisi gibi, ölçülü ve dengeli bir yaşamı var, binanın. Üst kata Arkeoloji Enstitüsü yerleştirildi. Önündeki dükkânlar da birkaç yıl önce yıktırılıp, bakımlı bahçesi ve bina, bütün güzelliği ile, İstanbul resmine katıldı. Bunu da, düzelen İsveç ekonomisinin bir göstergesi olduğu kadar, Batı zevkinin ve kültürünün de bir aynası sayabiliriz.

İsveç-Norveç Sefareti. Sultan Abdülhamid'e sunulan albümlerden.

Aynı dönemde Sefaret'in içi.

Aynı yıllarda Sefaret'in "Şark odası".

İsveç Sefareti önündeki dükkânlar dizisi. 1870'ler. Bu ön bina 1970'ler başında yıktırıldı.

Sefaret'in terasından Liman ve Topkapı Sarayı.

Günümüzde Sefaret'in girişi.

DANDRİA PASAJI

Tepebaşı Meydanı biçim alırken, 19.yy'ın ikinci yarısında meydan kenarında yükseltilen yapılardan biri. Bu meydanın biçimlenmesi ve onun bir yüzünü oluşturan bu dizi binaların yapımı, o kadar geç, o kadar yeni mi? Tuhaf ama, öyle. 19.yy'ın ortalarında bile, meydanın bu kenarı boş arsalar, ahırlar, depolar dizisi halinde. Hepsi, az ötede, İngiliz Sefaretine taraf bir yerdeki Glavani'lerin büyük konağının, uzantıları. Elimde bir gravür var. 1877 Tersâne Konferansına gelen Lord Salisbury'nin ve heyetinin kaldığı Hotel d'Angleterre'e valizlerinin taşınmasını gösteriyor. Meydanın bu yanı bomboş, yeni-yeni bir şeyler yapılıyor. Karşısı, Haliç'e bakan teras, Kasımpaşadan başlayıp buralara kadar çıkan müslüman mezarlığının tahribi ve itelenmesi ile kazanılmış bir düzlük. Buralarda 19. yüzyılın başında frenkler yerleşirken yapılmış bir iş. 1840'lı yıllarda da, düzlüğü bir bira bahçesi, müzikli bir café haline getirmişler. Orada orkestra Viyana operetleri çalıyor, hemen altında, devrik mezar taşları ve selvileri ile, Osmanlı mezarlığı uzanıyor. İmparatorluğun içine düştüğü ekonomik ve de sosyal dramı en iyi temsil edebilecek bir sahne. Çevrenin bir kaç yüzyıllık bir mezarlık oluşunun kanıtı olarak pek çok gravürler, fotoğraflar yanında, Etap otelinin yanından giren yolun adı, günümüzde bile, "Kabristan Sokağı" adını taşır. Meydanın bu tarafında tam bir uyum içinde (yani hem boy bos, hem de cephe stilleri olarak) yükseltilen binalardan, İtalyan Kültür Ofisinin yanındaki, yani Pera Palas yönüne göre alanın ikinci yapısı, Dandria Pasajıdır. Buraya bu ilk adını verenler eski, Cenova kökenli, lövanten bir aile. 1500'lerden önce İzmir'e yerleşmişler. Bir kolları İstanbulda. Orijinal yazılışı, sanırım d'Andrea biçimde olacak.

Binanın ortasında kemerli bir demir kapı ile başlayan pasaj, her iki tarafta birer merdivenle apartmanlarına giriş verir, sonra mermer yola devam ederek, az ilerde sağa sapar ve sol yanı demir parmaklıklı mermer bir merdivenle çıkarak, Terkos Çıkmazı yolu ile, İstiklâl Caddesine ulaşırdı. "dı" diyorum, çünkü 1955 yılında burasını satın alan İşçi Sigortaları Kurumu, bu iç bünyeyi bozarak, birinci kata beton zemin atıp pasaj boşluğunu ortadan kaldırdı. "Sen sağ-ben selâmet" lafı, bu gibi çözümler için icad edilmiştir.

Biz bu binaya 1950'de taşındık. O zaman Kurumun 3 yıllık görevlisiyim. Fakülteye başladığım yıl. O tarihlerde bina artık Moralı Pasajı adını almıştı. Beyoğlunda azınlıklar ve lövantenlerin, yerlerini bizim zenginlere bırakmağa başladığı dönemin, bir sonucu.

Kurum girişte soldaki merdivenle çıkılan 2. katı, kira ile tutmuştu. Ön tarafta bir oda ve şömineli bir salon var. Sonra bir koridor boyunca, boş Pasaja bakan, 3 oda, arkada mutfak, wc ve bir depo.

Ön odada başkan R.S. Atabinen oturuyor ve özellikle akşam saatlerinde, Haliç üzerinden uzaklaşan güneşin ufuklara yaydığı gurup ve şurup renklerinin tadına doyamıyor, bitmez tükenmez okuma ve yazı işlerine bu saatte ara veriyor ve bu zevki, birileri ile paylaşma ihtiyacı ile, arada beni de yanına alarak, karşıları uzun-uzun, konuşmadan, seyre dalıyor. Şömineli salon, kabul ve toplantı yeri. Burada üst düzeyde toplantılar yapılıyor. Düzenli gelenler arasında Hamdullah Suphi Tanrıöver, Ali Fuat Cebesoy, Nazım Poroy, Abdülhak Şinasi Hisar, Willy Sperco, Feridun Dimirtekin gibi, dönemin ünlüleri de çok. Onlar orada ülke sorunlarına çözüm üretedursun, ya da yeni başlayan turizm olgusu için hükûmete, eğitim gibi uzun vadeli önlemleri nâfile yere tavsiye ededursun, içerde loş Pasaj, alıştığı eski ve sessiz hayatını yaşamağa devam ediyor. Perdeleri kapalı dairelerin birine seyrek te olsa bir takım "müdavimler" gelip gidiyor. Ben genç hukuk öğrencisi, tam karşıda, önümde ilk kez cinsel oyunların yansımasına tanık oluyor ve ön salondaki resmî temaslar ile, arka taraftaki bu gayri resmî ilişkilerin çelişkisi arasında bocalıyorum.

Pasajın asıl tadı, giriş katında. Cümle kapısından girince, yolun sağa doğru saptığını yazmıştım. Tam karşıya gelen yerde, binanın çıkıntılı bir bölümü var da ondan. O kısmın zemin, yani yol hizası dairesi, genişçe bir mağaza halinde. Burayı 40'lı yıllarda, (belki de 30'larda?) bir Macar lokantacı tutmuş. Kapısının üstünde "Çardaş. Etterem Restaurant" levhası var. İçersi epeyce kapasiteli bir salon. Ama asıl güzelliği, bahar gelince başlıyor, bütün yaz boyunca, güz yağmurları başlayıncaya kadar, pasaja masa ve sandalyelerini çıkarıp, fıçı biralarını servis ediyor. Baharın yeşilliği ve yazın renk cümbüşünden nasipsiz biryer burası. Hep gölgeli, hep serin, genellikle de bir kuyu gibi sessiz. Fakat o kendine özgü havası yok mu? Damalı kırmızı-beyaz örtülü masaları, şezlonga benzer ahşap koltukları, soğuk biralar, içerden gelen radyo müziği, Ben orta Avrupa ile ilk tanışıklığımı, İstanbulun bu köşesinde tattım. Utrillo'nun tuvallerinde ölümsüzleştirdiği Paris sahnelerinden biri gibiydi, bu Dandria Pasajımız. Bu sanat kimliğinden başka, eski şehrin günlük yaşamda insanlarına sağladığı yaşam kolaylıklarından ve şehir kültürü sahnelerinden biriydi. Yolda istersen üst daireye çıkıp bir ara ziyareti yaparsın, istersen oturup serin bir bira içip, müzik dinlersin.

Onun yerini alan duvar gibi resmî daire ise, günümüz İstanbulunu kendi açısından, yeterince temsil ediyor. Bina var, ama içi yok. Dipsiz şişe gibi bir şey.

Nil Pasajı, 1990.

ASMALIMESCİT

Beyoğluna "İstanbul'un Avrupası" diyorum, burası da, başlangıçta, Beyoğlunun Anadolusu imiş. Adı bunu açıkça belgeliyor. Geniş bir müslüman mezarlığı, tâ Kasımpaşa'dan başlayıp Şişhane yamaçlarını örterek buralara kadar uzanırsa, onun bir ucunda da bir mescit yer alır. Mescide de, ya o yapılırken çeşmesinin yanına dikilen bir çınar arkadaşlık eder, ya da kiremit kaplı çatısını, zamanla şirin bir asma örter. Bir Osmanlı tablosu.

Bu resmi, frenklerin çevreye yoğun oranda yerleştiği 19.yy.'nın gelişmeleri ortadan kaldırmış. Tepebaşı Meydanı düzlenip mezar taşları alt yamaca itelenir ve ortaya çıkan terasta Café-chantant açılıp orkestra çalarken, mescit bu yeni dünyada tutunamazdı. "Mâbedin arsasına ne oldu, bir toplum mülküne özel apartmanlar nasıl dikilir" diye sorarsanız, insanoğlunun, ölüm hariç, çok şeyin çaresini bulduğu cevabını veririm. Osmanlı çökerken bu işler için bulunan formül şöyle: Hayır sahibi ölünce, vakfın mütevellîsi, Kadı'nın onayı ile, "mâlî müzâyaka sebebiyle, icâre-i müeccele veya mukataa yolu ile, mülkü birine devreder. (Yani Essakaar vel bakar, birbirini kakar, şer'an bir şey lâzım gelmez).

Benim bu semti tanıdığım 1940'lı yıllarda, cami çoktan yıkılmıştı. Tepebaşından girişte sağ tarafta ilk köşenin başında, yani Minare Sokağının köşesinde, yerden yüksek bir sette bir kaç kabir vardı. Sanırım burası ve yanına yapılmış olan garaj'ın yeri, sokağa adını veren mesçit'in yeriydi. 1940'larda artık mesçitten de, asmasından da iz kalmamış bulunuyordu. Ama ne Osmanlı tam gitmişti, ne de frengistan tam gelmişti.

1955'te Kurum, Sokağın ortasındaki Nil Hanının ikinci katını satın aldı. Üç oda-bir salon. Han, bir pasaj'dı. Hâlâ durur. Asmalımescit'e bakan yüzü, kesme taş cepheli güzel bir eski bina. Öbür sokağa bakan yanı ise, beton. O sokağın adı da, bir tuhaf:Gönül Sokağı. Beyaz rusların İstanbul'a döküldüğü yıllarda, bu ara sokakta alengirli evler açılınca, bu adı almış. Peki ama, o işin gönülle ilgisi ne diye soranlara da, sorulabilir:Osmanlı belediyesi başka ne ad versindi ki?

Biz taşındığımızda ruslar kalmamış ve Allah için, yan sokak eski namusuna kavuşmuştu. Tepebaşındaki Çardaş Lokantası da, bizimle beraber Dandria Pasajı'ndan süprüldüğü için, geldi, bu yapının bodrum katını tuttu. Çardaş eski kıvamını yine buldu diyemeyeceğim,çünkü güzel bir pasaj içinden,geniş te olsa bir bodruma inmek, Macar patronun keyfini kaçırmıştı. Bir eyyam, durumu idareye çalıştı. Sonra toparlandı gitti.

Sokak yani Asmalımescit, garip bir kompozisyonu sergiliyordu. Başka bir deyişle, tam Beyoğlu ara sokağı. Fikret Âdil'in ünlü kitabındaki 1930'lar atmosferi garsoniyerleri kalmamıştı. Başlarda dedim ya, tarihte kaç tane Beyoğlu vardır! Benim yaşadığım ve anlattığım kesit, 1950'li yıllar. Canlanan ekonomi ve hızlanan hayat, buraya yeni bir bileşim getirmişti. Ne kadar da çelişkili bir kompozisyondu! Önce dizi-dizi, antikacılar. O zamanlar henüz "hay-sosâyitimiz" eski eşyanın ve de özellikle "primitiflerin" tadını keşfetmedikleri için, bu ticaret kolu, sadece iki cins müşteriye hitap ediyor ve yok fiyatına satış yapıyordu:Meraklılar ve azınlık aileler. Hanım tâifesinin de antikacılık mesleğine girmesi için önde daha bir 20-30 yıl olduğundan, buradaki mağazalar, eski "erbâbının" elindeydi: Sevimli ve babacan Kegam Eryazı ve Karnik Zaraoğlu, (daha sonraları Ahmet Keskiner) Kalust Zaraoğlu, loş bir dükkânda koza gibi birbirinden güzel lambalar üreten son beyaz rus madam İrina Baydak, sokağın antikacılar kesimini oluşturuyordu. Sonra, bir manav, iki-üç kötü otel, eski dokudan kalmış, endeğerli yapı olan 40 no.lu Merkez Ap., bir-iki düzgün yeni apartman, bir muhallebici ve cadde başında, Adnan Döler'in sigorta bürosu!

Arada da lokantalar. Koca bir salon işleten Çardaş ve onunla rekabetle ayakta durmağa çalışan bir eski restoran. Bu, yola çıkıntı yapmış eski bina da, tipik bir yerdi. Masaları temiz beyaz örtülü, ve ayaklı balon bardaklı, garsonları gümüş saçlı, fakat salonun tam ortası kocaman sobalı, kâr-ı kadîm biryerdi. Bu iki lokantaya karşılık, 4-5 tane, meyhane midir, başka bir hâne midir, birtakım garip yerler, sokağı süslüyordu:Yarı zemin, yarı bodrum katlarda. Birkaç basamakla inilen yerler:Babayânî sandalyeler, masalar, duvarda raflar. Boyalı, hepsi şişman, konsomatris kadınlar, ya kanun ya ud çalan, bir de Allahlık müzisyen. Müşteriler de ona göre. Sofralarda rakı ve kavun, raflarda da maydanoz-limon eksik değil. Durgun Asmalımescit, en çok bu meyhanelerle hareket kazanıyordu.

Aşağıda özellikle akşamları bu cümbüş sürerken, yukarıda, Nil Pasajı'nın 2.katında, Kurumun toplantı salonunda, sokağın alaturkalığı ile taban-tabana zıt alafranga sahneler cereyan etmekteydi. Kahireden Nâsır ile kavga ederek "ayrılan", öfkesi burnunda aristokrat sefirimiz Hulûsi Fuat Tugay, üniformalı şoförü ile İstanbul'da tek Rolls-Royce olan saltanatlı arabasını kapıda bekleterek, üyesi bulunduğu maroken döşemeli Londra "klöblerini" nakleder, yakası karanfilli paşazâde Kadri Cenâni Bey, ünlü konyak markalarının aroma farklarını anlatır ve Reşit Saffet Bey, Fransız elçilik ya da kültür çevrelerinden bir heyeti bırakıp öbürü ile, ciddî görüşmeler sürdürür. Ziyaretler kesilip kendisi ile baş başa kaldığında da, yaşlı Atabinen, tam karşıya gelen, ve yola çıkıntı yapmış eski binada, yüzyıl başının fransızca ve ingilizce "Levant Herald" Gazetesinin idarehanesini ve onun bir odasında, acele ile fransızca baş makalesini kaleme almakla meşgul genç Reşit Saffet'i görüyor, gözlerini kısarak, elli yıl öncesinin bir sahnesini uzun-uzun seyre dalıyordu.

Ve aşağıda tam bir Beyoğlu ara sokağı, antikacı mağazalarının vitrinlerine dizili blö-blan küplerini, bronz heykelciklerini, altınlı çerçevelerini, onların hemen yanıbaşında yarısı zemin altına inen meyhanelerinin kavun-karpuzu ile, meme aralarına ya da kulak üstlerine gül sokmuş şişman hatunlarını, sîneleri utlu çalgıcılarını, manavını, muhallebicisini, kötü otelini, abajurcusunu, yan-yana, iç-içe, uzun bir duvara boyanmış renkli bir tiyatro dekoru gibi sergiliyor ve barış içinde yaşatıyordu.

Çoktan yolum düşmedi. Daha doğrusu, ayağım varmıyor. Şimdilerde bilmem nicedir?

Kegam ve Karnik Beylerin dükkânı, 1990.

PERA PALACE

İstanbul peyzajı için, büyük değişikliklerden biriydi, Pera Palace. Kendisinden 30-40 yıl önce şehrin şurasında-burasında saray, kışla, okul, hastane gibi kamu binaları olarak boy göstermeğe başlayan, kâgir ve kunt Avrupa tipi yapı stilinin, Beyoğlu tepelerine tırmanmış bir örneği. Otel, Yataklı Vagonlar şirketinin yeni işletmeye başladığı Orient-Ekspresinin uç noktasında, bu yeni lüks ulaşım aracının konfor isteyen aristokrat ve üst burjuva yolcularının ihtiyacı için 1898 yılında yaptırılmıştı. Bina'nın da, tren adına paralel olarak, "Orient" havalı olması gerekiyordu. Giriş holü ile orta salon'da, Doğu'nun "esrarengiz" dekoru verilmeye çalışıldı. Somaki mermer sütunlar, tavanların altın nakışları, sedefli dolaplar, çevreye bir şark dekoru havası verir. Buna karşılık, üstte otel koridorları ve odaları, konforlu, ama standart tutulmuştur.

Otel, Abdülhamid döneminde yapılmıştı. Vehimli padişah, pek az yere tanıdığı elektrikle aydınlatma iznini, buraya da verdiği için, dönemin bu en lüks binası, geceleri de parıldıyor ve seçkin kalabalıkları konuk ediyordu. Her zaman paralı bir kesime kapılarını açmış ve onlara yukarda manzaralı odalar, aşağıda yazın serin, kışın iyi ısıtılmış salonlarda iyi bir yemek ve özel dâvetler geceleri sunmuş olan binanın, böylece hep düz bir çizgi üstünde giden, rahat ve genelde olaysız, bir iç hayatı olmuştu.

Ancak bir yüzyıla çok yaklaşan geçmişi içinde, doğaldır ki, bu çizgisini dalgalandıran çalkantılar da atlatılmıştı. Bunlardan biri, 31 Mart olayı oldu. Gerici ayaklanmadan paniğe kapılanlar, kapağı bu güvenli frenk oteline atıyor, ve heyecan verici haberlerle oteldeki yabancıları da birbirine katıyorlardı. Yakınlarda yayınlayacağım bir görgü tanığının, İngiliz gazeteci Francis Mc Cullagh'ın anıları, bu atmosferi çok iyi yansıtıyor. Meşrutiyet döneminde İttihat ve Terakkî'nin düzenlediği nutuklu, yemekli toplantılar da burada yapılmaktaydı, karşıtı olan Ahrar Partisi'nin ziyafetleri de. 31 Mart olayı üzerine otele sığınanlardan biri de, Sadrazam Said Paşa'dır! Hazret gece saat 2'de gelmiş ve 9 Nisan Perşembe gününe kadar da çıkmamış.

Otelin müşterileri, saymakla bitmez. Alman generali von der Goltz, 1897'den itibaren burada kalır. Abdülhak Hamit ile Lüsyen Hanım, buradan çıkmaz, Damát Ferit Paşa, Mütareke'de üst-üste ziyafetler verir. Otelde Vodvil gösterileri ve paten yarışları bile yapılır. 1917'de, savaşın sonu gözüktüğünde, Atatürk de gelişlerinde burada kalmağa başlamıştı.

Cumhuriyet döneminde, İstanbul sefaretlerin ve yabancı şirketlerin gidişinden sonra suyu kesilmiş boş hamama dönerken, otel de bundan nasibini almış, fakat bu boşluğu, sayıları biraz artan yabancı turistler doldurmağa başlamışlardı. Erkekleri pipolu, golf pantolonlu, hanımları çiçek bahçesi şapkalı bu tipler, otel dekoruna uygun düşüyordu.

Otel, işletmeyi pahalı bulan Yataklı Vagonların az sonra satması ile, Bodosaki adında kılıksız ve zengin bir tüccara geçmiş. Onun işgal sonrasında kaçışı ile de, Lübnanlı Misbah muhayyeş'e. Ben ona yetiştim. Şişman, papyonlu, az konuşur bir zattı. Sevgili kedisinin ölümü ile hayattan büsbütün koptu ve az sonra vefat etti. Vasiyeti üzerine, tesis için bir vakıf yapıldı ve geliri Belediye ile 3 hayır kurumuna bırakıldı. Şimdiki statüsü öyledir ve Hasan Süzer'in kiracılığı ile işletilmektedir.

Benim, Palace ile ilk karşılaşmam, çocukluğuma kadar gider tabiî. Fakat hukukumuzun kurulması, 1950 yılında büromuzun Tepebaşı Meydanı'nda yer alması ile başlar ve 1955'te, onun karşısındaki Asmalı Mescit Sokağı'nda, daha bir 10 yıllığına, uzanır ve kökleşir. 1950'lerde, yabancı konuklarımızı orada ağırladık. 1960'lar başında, Genel Kurullarımızı da, barda ve içindeki salonda yapıyorduk.

1965'te Şişli'ye gitmemizle, ondan, mekân olarak uzaklaşmış oldum. Rûhen değil. Yılda bir kaç kez, dokusu ve nüfusu gittikçe değişen Beyoğlu Caddesini, çevreye bakmadan, yaya geçer ve eski otelde, çoğu kez kendi başıma, bir akşam çayı içerim.

O saatlerde tenha olur, Şark salonları. Belki önümden, "tayf"lar halinde, otelin bütün eski "müdâvimleri", titrek Said ve Kâmil Paşalar, heykel-misal Ahmet Rıza Bey, mağrur Cavid Bey, Anafartaların ışık kahramanı, benim de gönlümün sahibi, Mustafa Kemal, ve işgal yıllarının uğursuz bütün konukları jeneraller, koloneller, bir-bir geçiyor, belki de üst galeriden sessizce bakıyorlardır. Kimbilir.

Ben onları bilmem, çünkü tanımam, hiç görmedim.

Tek başıma çayımı içerken, benim gördüklerim, karşımdan geçenler değildir, sessizce, ama ortık konuşamadan, gelip yanıma oturanlardır. Kimler mi? Siyah ceket, setre pantalonlu, soylu patronum Reşit Saffet Bey, gümüş kalemlerini eskimiş yeleğine dizmiş Naum Paşazâde Said Bey Duhanî, gamlı ve titiz Şehremini Emin Erkul. Burada bir kokteylimizde fotoğrafın bizi beraber tesbit ettiği, şimdi üçü de ölmüş olan, zarif şair ve yazar Prof. Siyavuşgil, uyumlu ve geçimli Asım Us, sosyolog Prof. Fındıkoğlu... Ömrümün ilk 35 yılını onca dolduran, hatıraları nicedir burnumun direğini sızlatan, bütün o eski büyükler. Bütün sevgime karşılık, hep yaşayacaklar, hiç ölmeyecekler, sanarak, kadirlerini o zaman tam bilememiş olduğumu sonraları yana-yana anladığım, o, eski zaman kahramanları kadar derin ruhlu, tarihî tablolardaki figürler gibi soylu ve renkli, nesli tükenmiş, ve bir gelinmez diyâra gitmiş ustalarım. Bir süre, onlarla, beraber oluruz. Çayıma bir damla gözyaşım karışır. Sonra hava kararırken, hepsini bırakır, ben hesabı öder, ve, beni bekleyen anama dönerim.

Pera'nın kendisi gibi, Sarayı da, küflü ve yaldızlı bir hazine sandığıdır.

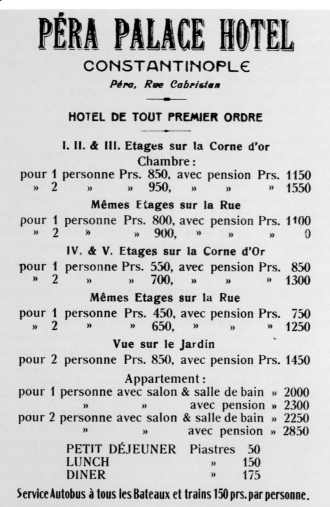

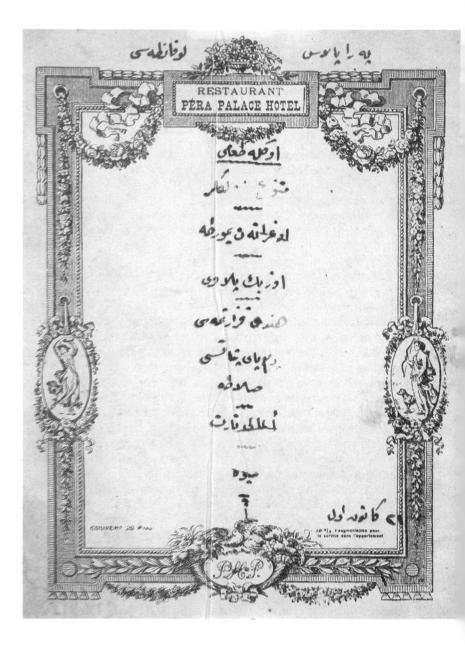

Otel'in lokanta mönüsü.

1930'da Otelde bir yemek. Turing erkânı, yabancı konukları ağırlıyor. Solda, ortada, Reşit Saffet Bey. Sağda, onun karşısında, eşi Nurhayat Hanım. Sağdan ikinci, Erkânıharp Miralayı Şükrü Ali Bey, en uçta kızı Şeref Hanım.

1930'da restoran...

*1964'te Otelde Kurum'un bir kokteyli. Solda Çelik Gülersoy, ortada Prof. Sabri Esat Siyavuşgil, arkası dönük Asım Us.
En sağda Prof. Fındıkoğlu. Ç.G. hariç her üçü de artık merhum.*

Mâmur günlerinde Markiz.

MARKİZ

Bu kapanmış pastahanenin adı, son 3-5 yılın Beyoğlu edebiyatı ile paralel gitmiştir. Ama tuhaftır ki, hakkında fazla bir bilgimiz de yok. Tek kaynak, selefim Duhanî'nin, benim yayınladığım anıları. Beyoğlunun 3 ana caddesini kapı-kapı yazmış olan Said Bey'imiz, iyi ki, burasını da kaydetmiş. Böylece bu şık pastahane'nin, Naum Tiyatrosu pastahanesi komilerinden Lebon tarafından açıldığını öğrenmiş olduk ve başta Anadolu Demiryolları Şirketinin Genel Müdürü İsviçreli Huguenin olmak üzere, "Müdâvimleri" hakkında da bilgiler edindik.

Güzel de, yaklaşık 120 yıl yaşamış olan bu köklü Beyoğlu "maison"u hakkındaki bilgimiz, böylece, tek katlı bir eve benziyor. Şimdi bu kısa yazıda, ben de bazı ek bilgiler vereyim de, bu bilgi evine ikinci katı da çıkmış olalım.

Ama önce Markiz'le benim ilişkimi aydınlatmalıyım: 5 yıl Tepebaşı Meydanında, yani onun az arkasında, tam 10 yıl da, (1955-1965) Asmalı Mescit Sokağında çalıştım. Pastahanenin yer aldığı Passage Oriental'in bir kapısı ana caddeye, biri de, yan sokak olan Asmalı Mescit'e açılır. 15 yıl, peynirimi ve tereyağımı pasajda iki rum dostun işlettiği Polonezköyü'nden kendim aldım. Sonra Şişli'ye taşınınca da, adam göndererek. Beni haftada bir buraya çeken, Polonez'in peynirleri kadar, Markiz'in de şekerleme ürünleri idi. Çoğu kişi için bu, çeşitli pastalar demektir, benim içinse, dönemin frenkçe deyimi ile, "fruit-glacée"ler. Her biri süslü bir kağıdın içine oturtulmuş o soylu yeşil incirlerin ve turuncu portakal kabuklarının görüntüleri, birer natürmort resim gibiydi. Son Biennal'de çağdaş resim sanatının, tuvali ve objeyi bile kaldırmış ve işi bir pandomime indirgemiş olduğunu görünce, Markiz'in resme benzeyen şekerli meyvelerini ne kadar arıyorum bilemezsiniz.

Gelelim, benim vereceğim tarihçeye: Duhanî'nin bıraktığı yerden alayım: Pastahanemiz, İstiklâl Savaşından hemen sonra, Sefaretten ayrılan iki fransızın elinde, Lebon-Bourdon adını taşıyor. Bugün herkesin hayranlığını çeken, duvardaki Art Nouveau iki mevsim fayans panoları da, bu dönemde, yani 1920'ler başında konulmuş. Markiz'in sağ karşı tarafında, (Hachette'in yanında) pek seçkin bir fransız gümüşcü-kristalci dükkânı vardı: Decugis (Deküjis). Fayans tablolar, onun aracılığı ile getirtilmiş. İki fransız yaşlanınca, pastahaneyi yanlarında çalışan Kosti adındaki rum garsona devrediyorlar. Kosti, düzeni bozmadan bir süre devam ettiriyor, yani hem pastahane, hem de az çeşitli bir lokanta. Ancak Lebon müessesesi 1940'da, Litopulos ailesi-

nin karşı köşedeki binasına taşınıp orada bu adla, ailenin damadı Yanna tarafından açılınca, burası boşalmış ve Beyoğlunda "Şöyle Pariz işi enfes bir maison açmak" arzusu ile yanıp tutuşan muhasebeci Bay Avedis Ohanyan Çakır'a, gün doğmuş. Avedis Bey, kolları sıvayıp burasını bir güzel dekore etmiş. Duvarlara lambriler, ermeni bir ustaya kartonpiyer süslemeler, ve girince, pasaja bakan sağ duvara ise, Mazhar Resmor'a, vitray yaptırmış.

Vitraylara diyecek yoktu tabiî ama, öbür dekorların iyi oturduğu söylenemezdi. En başta da duvarlardaki camlı ve aynalı vitrinler, sütunlardan iki yana taşıyor ve fayans panoları fena etkiliyordu.

1950 yılı gelip te ekonomik hayat canlanınca, Avedis Bey de buna ayak uydurarak, üst katı lokanta olarak açmıştı. Zemin katı yine "patissérie-confissérie". Ancak servis güçlükleri çıkınca, restoranı yine aşağıya alıp, üst katı gece kulübüne çevirmiş: Night-Club! Artık devir amerikanlaşmıştır ve isimler de o dildedir. Eskiden buna boite-de-nuit derlerdi. Markiz'in gece kulübü, 15 yıl çalışmış. Önce piyanist-şantör Perez, sonra İlham Gencer ve eşi, gecelere renk katmışlar. 1965'te kapanıp, depo olmuş.

Giriş katındaki pastahane ondan sonra, bir 15 yıl daha yaşadı. Karşıdaki Lebon (okunuşu Löbon) ile beraber, gizli ama efendice bir rekabetle, İstanbulun "kaymak tabakası"na hizmet verdi. Ben, Reşit Saffet Beyin konağındaki davetlerin büfesi için, Löbon'un ürünlerini tercih eder, alış-verişi oradan yapardım. Ama Markiz'in meyve şekerlerinin üstüne yoktu. Ünlü deyimi ile, "Yakın Doğu ve Balkanların da" herhalde en iyisiydi. Bir de, oturup bir şeyler aldığınızda, Markiz'in Lebon'a hemen farkedilecek bir üstünlüğü de, servis takımları idi. Avedis Bey, herşeyin gerçekten en iyisini koymuştu: Bugün artık hepsi antika pazarlarının konusu olabilecek objeler: Porselenler Limoges (Limoj) ve Havilland; metaller, gümüş ve Christofle. Camlar, Belçikalı.

Markiz'in bulunduğu pasaj, 1970'ler başında, bir yedek parçacıya satıldı. Ama, Anıtlar Kurulu da, burasının mutfağının bile aynen korunması kararlarını vererek, burada kendi dükkânını açmak isteyen yeni sahibin elini-ayağını bağladı. Ama tabiî, mülkiyet hakkı kutsaldı. Yeni malik, 8-10 yıl sonra Avedis Beyi kapının önüne koydu. Devlet ve şehir, 5-10 milyon verip, burasını toplum kazandırmayı düşünmedi. 1975'te bir aracı, 5 milyona bütün binayı bizim Kuruma önerdi. Doğrusu ben de hatâ ettim. Çevredeki yeni doku, "Emmim", "Yengen" adı ile açılan komşu kuruluşlar, ve bir kaç yıl sonra patlayan anarşiden Beyoğlunun da payını alması, beni ürküttü. Öneriyi geri çevirdik. Artık herhalde milyar eder.

Avedis Bey, kalbi kırık, işsiz kaldı. Malını-mülkünü (Bomonti-deki geniş bahçeli enfes konağını) Hava Kuvvetleri Vakfına bırakıp, dünyadan ayrıldı. Önce işçi olarak alıp sonra ortak ettiği 2 süryânî hanım, Feride ve Selma Şoris kardeşler, yaşıyor.

Şimdilerde, kapalı duran mağazanın, nedense, vitrinini açtılar. Bomboş ve toz içindeki salon, bütün hüznü ile, teşhir ediliyor. Özellikle de, panoları. Sanırım satışı için bir reklam yolu bu.

Tozlu salon bomboş ama, ben ara-sıra geçerken, içeriye bakıyor ve üstad dostum A. Şinasi Hisar'ı görüyorum: İki tombul elini, kiraz bastonunun gümüş topuzlu sapına üst-üste koymuş, her zamanki melânkolisi ile, dalgın, oturuyor. Yanına ilişmeyi (ve onu teselliye devam etmeyi), ne kadar isterdim. Ne yaparsınız ki, kapı kilitli.

Meşrûtiyette bir nümayiş. Markiz'in (o zamanki Lebon'un) tam önü. Ateşli nutuklar.

Kapanmadan az önce salon. 1970

Markiz'in duvarında bahar... Ama 1900'ler başının, "Belle Epoque"un baharı, bu.

Fanus fenerli giriş.

DRAM TİYATROSU

Bir yerde dram oynaması, yapının kendi başına da dramatik iş gelmesi için yeterli neden midir? Değil tabiî ama, İstanbul'un güzel tiyatro binasının da sonu, yıllar boyu içinde sergilenmiş oyunlardan daha acıklı oldu. Ama ben hikâyede, klasik, yani babadan kalma yöntemi severim. Buna uyarak en baştan alırsak, tiyatronun yer aldığı bu en geniş görünümlü terasın, önceleri mezarlıklarla kaplı bir yamaç olduğunu biliyoruz. Üst düzlüklerde frenk yerleşimi zamanla arttıkça, burasının bir meydan haline sokulup önüne bir taraça yapılması ihtiyacı kendiliğinden belirmiş. Ahmet Fehim Bey, anılarında bu işin, Beyoğlu Belediye Müdürü (zâten o zaman başka yerde belediye yok) Black Bey'in buluşu ile yapıldığını anlatıyor. Bu becerikli frenk, Galata Tüneli kazılırken yapımcı ingiliz firmasına, çıkacak toprağı taşımayı önermiş ve kazandığı parayla hem Tepebaşı'ndaki çukuru doldurmuş, hem de çevrenin de katkısıyla buraya parkı ve ilk tiyatroyu yapmış.

Beyoğlu'nun bu parkı ve buradaki ilk tiyatro, 15 yıl kadar yaşamış. Yeni Padişah Abdülhamid'in Şehremîni olan Rıdvan Paşa, 1890'da yine ahşap, ama çok daha güzel bir binayı oturtmuş. Kapasitesi de az değil, parter 268, 2 katlı locaları da 182 kişi alıyor.

Bina uzun süre, yani çeyrek yüz yıl kadar, çoğu fransız olmak üzere yabancı truplara hizmet eder. Dâr-ül bedâyi'e kapılarını açması 1916 yılını bulmuş, o da bir çeviri ve uygulama piyesi için. İlk yerli eser olarak Halit Fahri'nin Baykuş'u oynanmış. Yıl 1917. Duygulu şair Halit Fahri Bey, 1940'ların sonunda bizim edebiyat öğretmenimiz oldu. Merhumun asıl hevesi olan aktörlük, içinde kalmış olmalı ki, dersi atlatmak isteyen acar öğrencileri ısrar edince, Baykuş'tan dramatik bir sahneyi büyük bir haz duyarak okurdu.

Tepebaşı'ndaki bu yapı ile benim hukukum, 1938 yılına kadar gider. O tarihte 8 yaşındayım ve burada bir çocuk tiyatrosu da açılmış. Bütün okul, herkesten para toplayıp, bizi getirdiler. Nedense, localara dolduruldu. Bütün çocuklar, Afrika'da geçen bir olayın oyuncuları ve dekoru ile coşup el çırparken, ben, çok iyi hatırlarım, bembeyaz lâke duvarlarda pırıldayan altınlı kabartmalardan ve yaldızlı bronz apliklerden gözlerimi ayıramıyordum. Beni sahnedeki oyun değil, yapının kendisi büyülemişti.

15 yıl kadar tiyatronun bu bölümünden uzak kaldım. 1950'de çalıştığım küçük büro Tepebaşı Meydanına taşınınca, bana da gün doğdu. 5 yıl orada, 15 yıl da tiyatronun az ötesinde çalıştım.

Hemen her oyunun "Müdâvimi" idim artık. 1960'larda ise, dostluk kurduğumuz Atilla Manizâde'nin her prömiyerinde davetlilerden biri idim.

Anlatmak biraz zor olacak, bu dışı dümdüz tahtadan, ama salonu bir mücevher kutusu kadar süslü binanın, keyfini. Daracık koridorları ve kolayca giriliveren locaların sevimliliği, insanı hemen kendisine bağlardı. Hele, cadde girişindeki, yere doğru eğik iki koca fenerin ve en üstteki ampullü yazının ışıkları, daha binaya yaklaşırken içimizi sevinçle doldurur ve camlara yapıştırılmış afişlerdeki isimler, daha girmeden, bize bir sanat dünyasının selamlarını sunardı. Koltukların rahat olduğu söylenemezdi ama, salonun "lâke ve dore" süslemelerine diyecek de bulunamazdı. Yıllar sonra Zürih Operası'na girdiğimde, içim cız etmişti. O görkemli taş yapının, dışarıdan bizimkiyle bir ilgisi yoktu, fakat içi çok benziyordu. Ve onlarınki, daha bir çok şeyleri gibi, yerli yerinde duruyordu, bizimki ise yok olup gitmişti.

Bu yok oluş ta, bizdeki daha pek çok şey gibi, epeyce garip ve kuşkulu oldu. Daha 1930'larda bu tahta yapı beğenilmezmiş ve büyük bir opera binasına özlemler dile getirilmiş. Sanatçıların kendisinin bu görüşte olmadığı anlaşılıyor. Yapıyı çok eleştiren bir kitapta, bir artistimizin yazara hayretle, "Nasıl olur? O, orası bizim en sevdiğimiz yerdir" dediği yazılı. Büyük bir proje peşinde olan Muhsin Ertuğrul da, bunu Devlet Tiyatrosu için amaçladığını, Tepebaşı'ndaki tarihî yapıyı Şehir Tiyatrosuna ayırdığını, anılarında belirtiyor.

Ama 1960'lar ve 70'ler girdiğinde, kalabalıklaşan şehirde, alttaki toprağın değer kazanması ve üstteki bir çok yapının da göze batması dönemi başlamıştı. Taksimde koca bir opera yapımı sürdüğü halde, Tepebaşındaki tiyatronun yerine "garajlar, iş hanları, sergi salonları, bilmem neler-bilmem neler" içeren bir kompleks yapımı gereği de, Belediyeciler tarafından gündemde tutuluyordu. Bu programa uygun olarak, Atabey'in döneminde, 7 Ocak 1970'te bir törenle, bina terk edildi. Oynanan son eser, Daphne de Maurier'nin Sonbahar Fırtınası'ydı. Çok geçmeden, tarihî yapının başında, gerçek bir fırtına estirildi: Aynı yılın 17 Nisanında çıkan bir yangında, ahşap yapı enkaza döndü. Ama çilesi bitmemişti. Çünkü bir kısmı duruyordu. 3 Kasım 1971'de bir yangın daha çıktı ve yapı tam kül oldu. Şimdi soruyorum: Elektrik donatımı, ve herşeyi yanan bir bina, bir daha tutuşur mu? Dünya rekorlar kitabına girecek bir durum. Yeri uzun süre tarla olarak kaldı. 1983 sonunda koltuğuna oturan yeni başkan Dalan'ın önüne aynı inşaat ve ihale dosyası konmuş olacak ki, kendisinin basında dudak uçuklatan demeçlerini okuduk: "Buraya tek kova beton döktürmem. Şehrin yeşile ihtiyacı var". Çok geçmeden, tonlar dolusu beton dökülerek, 15 yıldır bekleyen proje gerçekleştirildi ve o "garajlar, sergi salonları" kompleksi, bu terasa, lök gibi oturtuldu.

Lök gibi oturan bu çimento bloklar, ne de olsa hâlâ romantik bir cepheye sahip bulunan Tepebaşı Meydanından bakınca, çevredeki dokuya tamamen ters bir oturum içindedir. Bu, açık. Fakat yapılan işin neye benzediğini tam anlamak isterseniz, Haliç'e inin ve karşı kıyıda, Fener'den buraya bir bakın. Pera Palas'ın pasta gibi görünümü ile, yanı başında, zart-zart enine sert çizgili bu blokların çelişkisini seyretmeğe çalışın.

Şimdi, önerim şu: Bu kadar devirlerin, partilerin ve başkanların değişmesine karşı, buraya 15-20 yıl sonra bile, ilk öngörülen projeyi kotarmada ve bu bloku oturtmada bunca başarı göstermiş olan, geri plandaki o kişiler bulunmalı, ceza için falan değil, adları bir plâka ile, ölümsüzleştirilmelidir. Çünkü bu az beceri değil, doğrusu.

1966'dan bir anı...

Bir gala gecesinde tiyatro.

Trajik final.

Anfi. Meşrûtiyet günlerinde. 1908.

KOMEDİ TİYATROSU

Bir komedi tiyatrosunun da dramla sonuçlanması, çok olağan bir şey değil, herhalde, diye yazıya başlarsam, fazla kötümserlikle suçlanacağımı, biliyorum. Ama bir kez belirttiğim gibi, İstanbul yapılarından söz eden kişilerin, ağıt yakması, kaçınılmazdır. Çünkü bu kentteki yapılar ya devletçe, ya sahiplerince, ya yıktırılırlar, ya da yakılırlar. Bu böyledir. Yaşım ilerledikçe, eskilerin neden dolayı kötümserliklerinin arttığını daha iyi anlıyorum. Bunlardan biri, hukuk bilgini Ord. Prof. Dr.S.S. Onar idi. 27 Mayıstan önceki ve sonraki çalkantılar, - kitaplarını aktarma gibi-ihanetler, en son da eşini yitirmesi, onu yaşamdan uzaklaştırmıştı. Biraz teselli bulmak üzere, hocamız Paris'e gitmiş. O sıralarda da, Fransa çalkantı içinde. Şanzelize'deki güzelim Café'lerden birine oturduğunda ne olmuş biliyor musunuz? General de Gaulle'e başkaldıran paraşütçü birlikleri, gökten, sağına-soluna inmeğe başlamış! Kötümser bilgin: "Kahve içmeğe bile rahat kalmadı bu dünyada!" deyip, İstanbula dönmüş. Az sonra da dünyadan ayrıldı idi.

Şimdi Beyoğlunun bu köşesini yazmaya oturduğumda, inan olsun,buna benzer duygulara kapılıyorum.

Halbuki hikâye, ne güzel başlamış.

Tepebaşı düzlüğünün bu kısmına, yani Galatasaray yanına, birbiri ardına tiyatro, ve sinema gibi yapılar oturtulmuş. Parkın Pera Palas tarafındaki salonun adı Kışlık; bu yandakinin ise Yazlık tiyatro. Önce Sarayın Mızıka Şefi Guatelli Paşa, sonra Mimar Barborini, 1870'lerde projeler üretmişler. 1889'da Claudius adında bir opera emprezaryosu, ilk inşaatı yaptırmış. Bir iniş üstüne, 4 localı, sahnesi biraz uzak bir anfi. Burası bir yıl sonra yanıyor. Zarar büyük. Fransız Elçiliği, bir kısmını karşılıyor. 1892'de yeniden yapılıyor. Dönemin ingilizce fransızca gazetesi Levant Herald'ın haberlerine göre, 1905'te bu anfi 1700 altın harcanarak,kapalı hale getiriliyor. Koltuklar, Paris'in "Maison Vesbecker" firmasına sipariş ediliyor. II. Meşrutiyette burada ilk sinemalardan biri açılıyor.

Bizim nesil, işte yapının bu hâlini tanır. Paris yapımı cilâlı siyah tahtalı, kırmızı döşemeli koltukları, hayli geniş olan hacmi içinde biraz dik kalan merdivenleri ile, koca ve serin salon, sahnede yarım yüz yıl, Dâr-ül-bedayî'nin nice becerilerini sergilemiş, hiç değilse 2 neslin insanlarına, buradan neş'e ve iyimserlik dağıtmıştı. Benim içine girişim de, 1939'da. Ablam yeni evli idi ve Taksim'e yakın bir sokakta ev tutmuşlardı. Eniştem Şöhret Güney Bey, meğer tiyatro meraklısı imiş, fakat kasvetli ve üzüntülü konulardan değil, komedilerden hoşlanıyordu. O yüzden biz de, 3 kişi, az ötedeki Dram bölümüne değil, bu yokuş salona devama başladık.

Tuhaf şey, ilk izlenim ne kadar önemli yer tutar, insan hayatında. Bizim de ilk gelişimizde, piyes başlamıştı. Yarısı boş karanlık salonda düşmemek için dikkat sarfederek dimdik merdivenlerden inip, yumuşak koltuklara gömülmek, çocuk ruhumu ne kadar etkilemiş ki, uzun yıllar rüyalarımda kendimi hep buna benzer,karanlık, yarı korkulu, yarı tatlı, heyecan verici bir mekânda buldum. Uyanınca, bunun Tepebaşı Komedi Tiyatrosu olduğunu anlıyordum.

1940'lar, Savaşın acılı, hüzünlü ve mahrumiyetli yılları boyunca, burası bir neş'e köşesi hâlindeydi. Daha sahneye çıkar çıkmaz, hangi rol ve kılıkta olursa olsun, seyircileri kahkaha tufanına kaptıran bir Vasfi Rıza Zobu, kendine özgü sitemli ve iğneli sesi ile onun hakkından gelen Bedia Muvahhit, o yıllarda fidan gibi bir genç olan, geleceğin ünlü komedyeni Muammer Karaca ve daha niceleri, toplumun sevgilileri halindeydiler.

Tiyatro her zaman da komedi oynamıyordu. 1949'da lisenin (Beyoğlu Erkek lisesi, Ayazpaşada ahşap bir hanım-sultan konağı) bütün öğrencileri, aylardır büyük bir başarı ile oynayan, Cevat Fehmi Başkut'un Paydos'una iki kez topluca geldiydik. Hilekâr satıcı, eyyamcı bürokrat ve politikacı tiplerine karşı idealist öğretmenin savaşını, gözlerimiz yaşararak, dakikalarca alkışlıyorduk. O yıllar, gençlik ne denli idealistti ve ilerisi için, ne kadar da iyimserlik ve umut doluyduk.

Az sonra 1950 ile, ülkede ve dolayısıyla da şehirde, yeni bir dönem başladı. Bu devir, bu sütunun bir kaç santimlik hacmine sığmaz tabiî ama, yepyeni gelişmeler içerisinde açık ve seçik olan bazı sonuçlar da, ortada idi: Sokak satıcılığının, yüksek öğrenimin pek çok dalından (ve özellikle de, piyasa ekonomisine doğrudan hizmet vermeyen bilim şubelerinden) daha fazla para kazandırması, bu çok net yeni durumlardan biriydi. Bu, Paydos piyesinin öğretmeninin de, tam tuş olması demekti.

Onunla beraber, piyesin oynandığı tiyatro binası da tuş oldu: 1956'da Başbakan Menderes, kendi kafasındaki bir modelin İstanbulunu gerçekleştirmek ve bununla, 4-5 yılda erittiği altın ve döviz rezervleri ile beraber yitirmekte olduğu politik iktidarını kazanmak üzere, bir imâr hamlesini yürürlüğe koyduğu sırada, bir parmak işaretiile semtler ortadan kalkarken, bizim Komedi Binası da yok oldu gitti. Gereğini o zaman da anlayamamıştım. Çünkü yerine bir bulvar da yapılmamıştı? Sanırım, iş hanı ve sergi sarayı projesi, birilerinin aklına düşmüştü. Yanındaki Dram bölümü de 1971'de (bu defa tutuşmak suretiyle) yok olunca, beton sergi sarayı, gelip, her ikisinin arsasına oturmuş bulunuyor.

Şimdi kitap sergilerine gittiğimde, buraya akın-akın giren-çıkan gençlere baktıkça, kendimi o çok sevdiğim Doktor Jivago filmindeki generale benzetiyorum: O roldeki Alec Guiness'in pencereden buğulu gözlerle seyrettiği gibi: Eski mâceralardan habersiz sayısız genç insan, yeni bir hayatı yaşıyor.

Onlar haklılar.

Ama biz de, eskiyi bilenler, en azından, "mâzuruz".

Biz, yani burada, Paydos Piyesinde, öğretmeni göz yaşları ile alkışlayan, dünün gençleri.

Yazlık sahnesi ile, Tiyatro.

HOTEL D'ANGLETERRE

Bu, benim daha önce yayınladığım birkonu. Bu sütuna ise, bugüne kadar bir yerde çıkmamış yerleri yazıyorum. O yüzden, sıra bu en eski Beyoğlu oteline gelince, duraksadım. Fakat ne yapalım ki, beş-on yazı ile Beyoğlunu gezmekteyiz ve bu köşe de, Tepebaşında, yolumuzun üstündedir. Sonra benim türkçe kitaplarımı zâten kaç kişi, okuyor ki? Toplasan bini bulmaz. Onun için, Cumhuriyet okurlarına bunu birdaha yazmağa değer.

Beyoğlunun en eski oteli dedim. Aslında bu bina, İstanbulun da, ilk oteli idi. 1841'de açılmış.

Niye bu kadar geç? Hem sosyal, hem ekonomik bünye, daha önce yatkın bulunmuyordu da, ondan. Yüzyıllar boyu Osmanlı, yolcusunu görkemli ama konforsuz ve de parasız taş binalarda yatırmıştı. Adına kervansaray denilen o heybetli yapılar, geceleme fonksiyonunu yüklenmiş ve taşımıştı. Mobilyasızdı bunlar, ama da, parasız sunuyordu, hizmetlerini. Bu diyarda kim kalksın da, paralı otel, restoran açsın? Ama aynı ülkede zaman geçer, yeni bir devir ve dünya kurulur, adına Tanzimat Fermanı denilen bir buyrultu okunur, ülke kapıları frenk sermayesine ardına kadar açılırsa, o zaman işler değişir ve bir çok şeyin zamanı gelir:

Yaya veya atla gidemeyecek kadar acelesi olan tüccârana önce tramvay, sonra tünel, sonra Beyoğluna bir opera, bir dizi café-chantant, diyâr-ı ecnebiyeden geleceklere de, tam teşkilâtlı bir otel. Daha önceki hanlar da, Beyoğlu madamlarının pansiyonları da, artık devirlerini kapamışlardır. Her ortam, kendi kurumlarını getirir. Biz de daha dün, Boğazda beton villalar, sağda solda dev businesscenter'ler ve bunların arasını şimşek hızıyla bağlayacak Texas tipi highway'ler (Beşiktaş-Samatya) planlamıyor mu idik?

1841'de de, işte bu ilk otel açılmış. Bu fikri akıl eden kişi de ilginç. Hıdiv'in seyisi iken, para bulup, restoranı ile, Haliç'i seyreden güzel mobilyalı odaları ile, dört-dörtlük bir otel açmış. Rica ederim, bana yine bugünle paralellikler kurdurmayın. İş bitirici bir adam. Ama köşeyi gerçekten de iyi bulduğu söylenebilir. Çünkü oteli, Beyoğlunun en iyi köşesinde! Arkası İngiliz Sefareti bahçesine bakıyor. Adı da o yüzden öyle. Odalarında kuş sesi ile uyanılan, tek şehiriçi oteli. Önü, işlek bir cadde ve meydan Karşısı ise bulunmaz bir panoramayı seyrediyor: O zamanki Haliç. Ne 1960'lar ve 70'lerin fabrikaları, ne de 1980'lerin beton parkları. 1800'lerin Haliç'i, mavi suları, yalıları, bahçeleri, deniz hamamları ve özellikle de, kıyılara bütün pittoreskini veren binlerce kayığı ve yelkenlisi ile, tam bir tablodur. Yolcuları ve özel-

likle romans âşığı yazar-çizerleri otele çeken de, âlâ lokantası ve kusursuz oda servisinden çok, balkonlarından seyredilen bu peyzajdır: Gündüzleri de bu resim çok güzeldir ama, gece basmadan, akşamları, güneşin ağır ağır uzaklaşırken serptiği altın tozları ve ufuklara çektiği şurup renkleri ile bu iç kanal, dünyada benzeri bulunmayan bir tabloya dönüşüyordur.

Bu özelliği, otele dünya çapında bir ün kazandırır: 15-20 yıl tek otel kaldığı için de, rakipsizdir. Bir İmparator bile ağırlar. Brezilya hükümdarı ve eşi, özel bir gezide bütün tesisi kapatırlar. Ama daha sonraları Pera Palace ve Tokatlıyan açıldığı zaman bile, Pierre Loti, hep burada kalacak ve her akşam, pencereden, gece basıncaya kadar, o tadına doyulmaz resme dalacaktır.

Yolcularının bu romantizmine karşı, patron, iyice garip bir adamdır: Mösyö Mıssırî. Küçük de bir diktatör. Sanırım köşe dönmesinin çok kısa zamanda olması nedeniyle, servetinin hazmını henüz bitirememiş. Boyuna atıp tutuyor ve her şeye karışıyor. Yemek salonuna, komşuluk ve otel adı nedeniyle, Kraliçe Viktoryanın portresini asmış. Bu iyi. Ama karşı duvardaki portre, Prens Albert'in değil. Kendisinin! O zamanki restoranlarda, ayrı masalar yok, vapurlarınki gibi uzun tek masa var. Başkanlık koltuğuna kendisi oturuyor ve garsonlara da servisi, müşterilerin oturuş sırasında göre değil, cüzdanı ve faturasına göre, kaş-göz işareti ile yaptırıyor. Adamın bu densizliklerine karşı, karısı çok ince bir hanım. Kaderin garip cilvelerindendir, çoğu örnekte bu böyle olur! Madam heryeri temizletiyor, merdivenleri de saksılarla süslüyor. İçerde limon fidanları bile var.

Otel tarih boyunca birkaç isim değiştirmiş. Hotel Mıssırie olmuş. Cumhuriyet döneminde ne ilgisi varsa, Orta-Asyalaşarak, Alp Oteli adını almıştı. Kapısının üstünde iki yanda birer ay, ortada yıldız amblemi, milli bayram gecelerinde pırıl-pırıl yanar, çocuk gözlerimin hayranlığını, çekerdi. Yarım yüzyıl sonra, Yeşil Ev'in kapısına aynısını yaptırdım, yine bayılarak seyrediyor ve 1930'lu yıllarıma dönüyorum.

Son sahipleri, Medovitch'lerdi. Tokatlıyan'ın dâmadının oğlu ve fransız eşi. 1970'ler başında, burasının tarihî eser olarak tescilini önerdim Otelcilikten bıkan madam, özel rica etti. Ben gaflet ettim. Anıtlar Kurulu da tam bir tescili yapamadığı için, aile binayı 5 milyon liraya bir Petrol Şirketine sattı. Şirket ne olur ne olmaz diye yapıyı hemen yerle bir edip, uzun süre arsasını boş tuttu. Birkaç yıl önce bütün o eski yerine konulmaz anıların yerine, beton kazıklardan bir tanesi daha dikildi. Tepebaşında, meydandan Galatasarayına doğru yürürken, Konsolosluğa gelmeden sol kolda köşe başındaki "çağdaş" yapı, işte o Brezilya İmparatorunu, Lord Salisbury'yi, Pierre Loti'yi konuk eden İngiltere Oteli'nin toprağında yükseliyor.

Yapı korunsa ne olacaktı diye de, şimdi düşünüyorum. Çünkü son yıllarda yeni bir moda çıktı. Yerel anıtlar kurullarının bol keseden izni ile, sapasağlam yapıların "cephesi korunup" içerleri sökülüyor, betondan yeni bina dolduruluyor. Az ötedeki Bristol Otelinin, Şişhanedeki Frej Apartmanın başına geldiği gibi, bizim Alp Oteli de bir "Yalancı dolma" olup çıkacaktı.

1876'da bir İngiliz deseni: Yarısı henüz boş Tepebaşı Meydanı ve karşıda otelimiz. Hotel Royal. Sahibi ise Bay Logotheti...

Pasaj, çiçeklerin binası iken, nergis, mor menekşe ve fulyalardan bir sepet yapan satıcı genç, yola çıkmış, geçenlere sunuyor...
Geçenler de, çiçek gibi, tertemiz... 1940'lar. (Ph. S. Giz)

ÇİÇEK PASAJI

Bunun yerinde 1870 yangınına kadar, bir başka yapı var. Ahşap bir tiyatro-opera. Yanındaki sokağın bugün bile Sahne Sokağı adını taşıması da o nedenledir. Burada önce, 1840'da Bosco adında bir Sardunyalı, tiyatro açmış. Sonra masraflar ile başedemeyince, arsanın sahibi Lübnanlı hristiyan-arap ailelerden, Duhanî'ler, Padişah Abdülmecit'in para yardımı ile binayı epeyce düzeltip dayayıp döşeyerek, o zamanlar henüz toprak bir yol olan "Beyoğlu Cadde-i Kebiri" üzerinde lüks bir salon halinde 1844'de yeniden açmışlar. Yeğenleri Said Bey Duhanî, benim selefim oldu. Aile yeterince varlık sahibi ve İstanbul sosyetesi içinde köklü bir yerleri var. Temsiller, fransızca italyanca veriliyor. Beyoğlu kreması ile beraber bir miktar Türk seyircisi de var. Hattâ Padişah bile şeref veriyor. 1840'lar, 50'ler Beyoğlusu, dünyada benzeri pek az, bir belki bir anlama da hiç olmayan, çok renkli bir kıvama kavuşmuştur. Zamanın bütün turistleri, bundan hayranlıkla bahseder: Galatasarayında İtalyanca aryalar okunurken, az ötede, Yüksek Kaldırım başında, Mevlevî dervişler, mistik müziklerinin eşliğinde, Tanrı uğruna dönerler! Bu kadar yakın aralıkta, bu denli yadırgı, iki kültür.

Beyoğlu'nun büyük bir kısmını süpüren 1870 yangını, Naum Tiyatrosunu da kül etti. Batıya sevdalı hükümdar Abdülmecit de, çok erken bir yaşta dünyadan ayrılmıştı. Yeni padişah Abdülaziz'in derdi opera değil, pelvan güreşleri olduğundan, ondan ümit yoktu. Naum ailesi mülkü sattı. Banker rum Hristaki Efendi arsayı satın alarak, (bugün bir kısmını gördüğümüz!) kesme taştan güzel binayı yükseltti. Yıl 1875. Yapının üstü, ferah ve konforlu dairelerdi. Önde, şömineli büyük bir salon, köşe kuleler içinde yine şömineli yuvarlak bir oda, yan sokağa ve pasaja taraf ise, 3 çok büyük oda ile, wc ve mutfak yer alıyordu.

Pasaj'da iki ticarete yer verilmişti: Kova-kova çiçeklerini dizen çiçekçiler. Nefis francala ve sandviç çeşitlerini sepetlere dolduran ekmekçiler. Bu görünüm, Paris'ten, Londra'dan örnek alınma, çok temiz, çok rafine bir tablo oluştururdu. Burasının fıçılarla donanıp meyhanelerle dolması, 1940'lardan sonradır ve yandaki Degüstasyon Lokantası'nın pasaja kapı açması ve masa koyması ile başlamıştır.

1951 yılında ablam ve eniştem, binanın cephe üst dairesinde bir moda evi açtılar. 15 yıl oturdular. Benim çalışma yerim de, az ötede, Tepebaşı Meydanı'nda olduğu için, kimi geceler, onlarda kalırdım. Ünlü 6/7 Eylül olaylarına, burada, tanık oldum. Çünkü vurup kır-

malar, penceremin tam karşısında, Galatasaray Bonmarşesi adını taşıyan o cânım oyuncakçıdan başladı. Ilık bir Eylül akşamı başlayıp gece yarısına kadar devam eden o vahşet gecesini, çıkıp her yanı büyük bir üzüntü ile gezerek, burada yaşadım.

Sayısız miktar ve türde serveti tahrip eden o kalabalıklar ve yığınların, gece 24'de sıkıyönetim ilân edilip askerî birliklerin yola çıkması ile, nasıl, ızgaralardan akan sular gibi kaçıp kayıplara karıştığını gördüm. Hayat tecrübem arttı.

Bina, Hristaki Efendiden, Sadrazam Said Paşaya geçmişti. Sait Paşanın konağı, Nişantaşındadır. Paşanın çocukları bu apartmana nakletmişler. En son ikisi evlenmemiş erkek, biri hanım, üç evlâdı, 3 dairede yaşamaktaydılar. Bir katında da, vekil-i umumîleri Avukat Übeydullah Üner. Binada daire çok. Özellikle de, pasaja bakan iç bölümlerde. Bunlardan birinin tahliyesi gerekti. Avukat bunu yasal yollardan sağlayamadı. Pasajda kokoreç gibi 1950'lerin artık makbul ürünü haline gelen gıda maddeleri satan becerikli birisi, daireyi kendine özgü metodla boşalttırınca, Vehbi Beyin gözüne girdi ve çatı katına ailesini yerleştirme olanağını elde etti. Olaylar daha sonra bu zâtın lehine bir yükseliş çizgisi çekerek, Vehbi Beyin vefatıyla, onun nikâhsız yaşadığı hanımla evlenmesi ve Pasajda meyhaneler açması gibi gelişmelere yol açtı. Ne var ki, yaşlı bina 1970'ler İstanbul'unun hızlı değişimine ayak uyduracak bir dokuda değildi. Anlaşılan bodrumda yer kazanmak için duvar yıkmalar, yığma teknikle yapılmış binanın dengesini bozmuş. 10/5/1978'de koca yapı çökerek, üst birkaç katını yitirdi.

O tarihte ablamlar, Ankara'ya nakletmiş oldukları için, biz içinde bulunmuyorduk. Fakat o kadar anılarla bağlı olduğum ve 19 yıl önce askere gitmek üzere ışıklı bir gece, arkama baka-baka, gözlerim yaşararak çıktığım saray gibi güzel yapı, bir anda enkaza dönmüştü. Onun acısını aylarca taşıdım, uzun süre oralardan geçemedim.

Ama çöküş sırasında inanılmaz bir olay daha olmuş, Said Paşanın çok yaşlı kızı, Halide Hanımefendi, evlâtlığı ile, karyolasının içinde aşağı uçarak can vermişti.

Osmanlı aristokrasisinin çöküşü ile, yeni ve girişimci Anadolu insanı tiplerinin yükselişi olaylarını yaşadığımız 30-40 yılın tiyatrosunu, bu "karyola ile beraber ölüme uçuş" sahnesi kadar, başka hiç bir melodram, temsil edemezdi.

Son 5 yılın döneminde, burası da "imar edildi". Adı çiçek olan pasajın meyhane olarak kullanılmasının birtek mazereti vardı: tipik ve pitoresk oluşu. Son şeklinde, ise "disiplinli" şık ve de turistik. Çiçek pasajının, artık özelliği de yok.

Beyoğlu Cadde-i Kebiri'nden, padişah geçiyor. Ortada
bombeli bina Hristaki Pasajı.

1990'ın yarım ve turistik binası.

Hristaki Pasajı önünde, Meşrûtiyette ermeni cemaatının coşkulu bir toplantısı. Az ötedeki Üç Horan Kilisesi'nin giriş yolu. Soldaki bina bugün artık yok. Yerinde, İstanbulda ilk Anadolu firmalarından olan Kiğılı mağazasının beton binası var.

TOKATLIYAN

Beyoğlundaki dolaşmamızda, bu yapının önünde durmamak olmaz. Gerçi yapının kendisi tam durmuyor ama, kısa bir yazıda bize, hiç değilse onu anmak düşer. Yapı tam durmuyor ne demek? Şu anlama: Binanın giriş katı değiştirilip, üstü bir oranda bırakılmış durumdadır.

İstanbul yapılarından söz edilirken, ağıt yakmak, zorunludur. Çünkü bunların hemen hepsi, ya zamanla ortadan kalkmışlardır, ya içi boşaltılıp betonla doldurulmuştur. Doğulu dünya bunu çok kolay kabullenir. Ona göre ayrıcasız herşey ölümlüdür de, ondan:

"Bu bağ-ı fânînin gülü,/Elbette fânîdir, heman/Bâkî kalur mu,bülbülü/Bâkî değilken gülistan!

Halbuki Batı felsefesinde insanlar ölümcüldür, yapılar ise kalıcıdır. Herne ise, uzun bahis.

Bu Tokatlıyan Oteli de, işte Şarkın o eski güllerinden biriydi. Binanın arsası, arkadaki katolik ermeni kilisesi Vakfının malı. Vakfın adı, ermenice, Üç Horan. Vakıf, gelir amacı ile buraya 1884'de, önce lüks bir tiyatro binası yaptırıyor. Ama öyle-böyle değil. (Beyoğlu neydi canım, batakhaneydi, diyenlerin kulakları çınlasın). Girişi bronz ve mermer heykellerle süslü, ikikat localı, havagazı fenerleri ve avîzeleri ile aydınlatılan, büfesi, fuayyesi, sigara salonları yerinde, dörtdörtlük bir tiyatro.

Ne var kl, bu tiyatro gülü de, sadece 8 yıl için açmış olur, 1892'de tutuşur gider. Bereket versin, Doğulu dünya içlnde artık Batı'ya iyice yanaşmış olan ermeni cemaatimizin Vakfı, yapıyı bir İngiliz Şirketine sigorta ettirmiştir. Oradan yeterli bir tazminat alınır. Birkaç yıl, yeni bir tiyatronun projesi ve lâfı ile geçer. Sonunda arsası, kökeni Tokat ilimize dayalı, Mığırdıç Efendiye kiraya verilir. (Dikkat ederseniz, otelin kesin yapılış yılında, lâfı yuvarladım. Çünkü o konudaki incelemem henüz bitmedi!) Bazı kaynaklara, meselâ dönemin bir romanına göre, ilk açıldığında henüz otel yoktur da, burası, yazarının deyimi ile çok "kalantor" bir gazino/restoran'dır. Adı da, "İsplandid". Bu bilindiği gibi, görkemli anlamına gelir. Tesis de, elhak öyleymiş. Kapı, ortada. Girince bir yanı café, öbür yanı lokanta. Bütün tabak-bardak takımları markalı. Garsonlar "kuyruklu ve setreli". Biz, penguen benzetmesini yapabiliriz. Pirzola istediğin zaman düz tabakta değil, alttan ısıtılan fakfon tabağı taşıyan bir arabada geliyormuş. Yani Mığırdıç Efendi, "Pariz"in en son yeniliklerini uygulamış. Kendisi de ortalığı dolaşır ve "müşterileri pâyelerine göre" ağırlarmış!

Tokatlıyan Efendinin böylece, bir tarihten sonra (kimse merak etmesin, yakında onu da bulacağım) lokantası üstüne otel açıp, hepsine kendi adını vermesi ile ortaya çıkan tesis, bu yüzyılın başı ile II. Cihan Savaşı sonuna kadar, diyelim 40 yıl, Beyoğlunun en görkemli iki otelinden biri olmuştu. Biri Pera Palace, biri bu.

Hatta, Sperco'nun yazdığına göre, Tokatlıyan, Pera Palace'ı hemen geçmiş.

Benim kuşağım, bu trenin de sonuna yetişmişti. 1930'lu, 40'lı yıllarda Tokatlıyan, "Evropâî" bir oteldi. Plânı değişmişti. Kapı sağ yana çekilmiş, Café kısmı geniş bir salon halinde sola, yani, yandaki Çiçek Pasajı tarafına alınmıştı. Restoran, karşıya geliyordu. Yani sağdaki yan sokağa bakıyordu.

10'lu, 20'li, 30'lu ve 40'lı yıllarda, bu bina Beyoğlunun ve İstanbul kremasının bir sergisi halinde yaşamış. Abdülhamid devri vezirlerinin yemekleri, randevuları, Meşrutiyette İttihat ve Terakki'nin ziyafetleri yapılmış, gelen-giden yabancı ünlüler, yazar-çizer takımı, akşam çaylarında burada arz-ı endam etmişler. Bu debdebe ile parlayan otel, kendi başına, zengin. Ama, bu otel yüzük taşını, toplum yuvasına oturtunca, her zaman iyi durduğu da söylenemez: Harb-ı Umûmî yıllarında halk süpürge tohumu yerken,burada havyar yanında şampanyalar patlatılıyordu...Bu sahneden kimler gelip geçmemiş ki! Rus ihtilalinden sonra Troçki'nin bile polis refakatinde zorunlu bir konukluğu var. Tarih tiyatrosunun bu aktörlerinin hiç birini, fazla merak etmiyorum. Çünkü onlar gibisi, çok. Ancak bir kişiye rastlayabilmek, onu uzun-uzun seyredebilmek için, ömür saatimin yelkovanını geri çekebilmeyi isterdim: Falih Rıfkı'nın tanık olduğu gibi, Mütarekede gümüş renkli pelerinini, çakmak misali gözleri ve sarı saçları ile, antrede bir ışık gibi parlayan Mustafa Kemal. Onu, elim babamın elinde, Rıza Şah'ı getirdiği Yıldız Sarayına girerken görmüş mutlu bir çocuğum,ben. Ama o bir an, bana hiç bir zaman yetmedi ki.

Tokatlıyan Oteli, bir iç saray darbesi ile el değiştirmiş. Mığırdıç Efendinin öz kızı, damat Medoviç ile işbirliği yaparak, yönetime konmuşlar ve babalarını Fransaya sürmüşler. Solmuş-sararmış bir Servet-i Fûnun sayfasında, Ahmet İhsan Beyin Nice'te rastladığı, ihanete uğramış ve yıkılmış efendi ile ilgili yazısını okumuştum.

Tokatlıyan Efendinin âkıbeti, çok geçmedi, otelinin de başına geldi. İşletme, bir Karadenizli vatandaşın eline geçti. Adı, Konak Oteli oldu. Kısa süre sonra mal sahibi Vakıf, tahliye istedi. Kiracı da her yeri söktü. Tarihî eşyaları aldı, bir depoya yığdı. Sonra ne yaptı bilmem.

Harb-ı Umûmî fukarasının âhı mı tuttu nedir, otel önce boşaldı, sonra, şimdi gördüğünüz iş hanı oldu çıktı.

Tokatlıyan'ın girişi (solda) ve önünde park edebilen taksiler. Fotoğraf, 1930'lara ait.

1928 öncesinden bir belge.

Tokatlıyan'da balo. 1930'lar...

Ve dans.

Tokatlıyan Oteli'nin değiştirilen giriş katı ve cephesi, eskisi gibi duran üst katları. 1970'ler.

Sirley Temple..

ETOILE

Ben kendisine devama başladığımda, 40'ların ilk yılları, hatta 30'ların sonu, adı artık türkçeleşmiş bulunuyordu: Yıldız Sineması. Fakat bir şeyin adını hemencecik nasıl değiştirirsiniz? Özellikle de o dönemin Beyoğlusunda, nüfus eski dokusunu, büyük oranda sürdürürken. Etoile adını, ona o insanlar koymuş, yıllarca, herhalde bir 20-30 yıl olmalı, öyle söz etmeye alışmışlardı.

Gerçi ben kendi hesabıma Yıldız adını daha çok seviyordum. Bu ad benim için, konuk olduğum bu Avrupa semtinde, asıl vatanım olan, Beşiktaşın üstündeki o yemyeşil, o tertemiz kır rüzgârları esen mahallemizi hatırlatıyordu, mahallemizle birlikte de, masmavi gecelerinde gökte parlayan platin yıldızlarını, ya da aynı izlenimi bırakan, duvarlar üstündeki yâseminlerin yeşillerine serpilen o bembeyaz çiçeklerini. Ama Beyoğlu halkının böyle bağlantıları yoktu ki. Onlar için, bu köşe sineması, hâlâ "Etual" idi.

Sizinle bugün, ancak ismen yaşayan Lâle sinemasının köşe başında yükselen Etibank binası önünde duralım İşte, Etual'in yeri. Şimdi bu banka. Eskisi, dönemin stiliyle tık-tıklı çimento sıva çekilmiş, dıştan 3 kat görünümlü sağır bir yapıydı. Hiç bir özelliği yoktu. Ama başını kaldırıp yapıyı seyreden kim? Köşe ucunda yer alan girişinin ampullü saçağı, yola ve içerlek antresine asılan camlı kutuların vaad ettiği bütün yabancı ve egzotik güzellikler, yeter derecede çekici değil mi? Cebinizde 3-5 kuruşunuz varsa, bütün onlar bir-iki saatliğine sizin olabilir. Birbirinden ayrılmadan hep aşk hikâyeleri türeten Nelson Eddy-Janette McDonald çiftinin tatlı beraberliğine katılabilir, sürmeli gözleri ile sizi süzen Pola Negri'ye, Alida Valli'ye, elle tutacakmışsınız kadar yaklaşabilir, çukulatalardan resmi çıkan inanılmaz sevimli kız Shirley'le arkadaşlık edebilir ve bir akrabanız kadar sevdiğiniz Stan Laurey ve Oliver Hardy ile, gözünüzden kahkaha yaşları döktüren serüvenlere katılabilirdiniz.

Hele küçük Çelik gibi, sinemanın müdürü, ağır başlı, beyaz saçlı, Kemal Bey, eniştenizin dostu ise, her seferinde parasız da girebilirsiniz. Filmi sevmişseniz, Kemal Bey amca da kesinlikle aynı izlenimde olduğu için, bir daha, bir daha girme şansınız ve olanağınız var. Tek rizikonuz, arasıra gelip karanlıkta, cebindeki küçük feneri tutarak bilet kontrolü yapan belediye memuru. Onun da kolayı var. Fısıltınız zâten hazır: "Hâ, bilet mi, o müdür beyde kaldı!" Babacan, güngörmüş memur amca, çift tarife uygulayacak değil ya, arka sıraya geçer.

Bu gibi kırk yılda bir teğet geçen tehlikeleri dışında, salon, bütünüyle sizin. Hafif bir rampayla inen, sahnesi vişne çürüğü ağır perdeli, koltukları aynı tona yakın kadifeyle kaplı, yazın bir kuyu kadar serin, gündüz iş vakti seanslarında neredeyse bomboş, az ışıklı, tenha ve loş, bu büyük ev, artık sizin. Önce dünya haberlerimiz var. Hitler'in deli-deli sesleri, rap-rap geçen o korkunç askerleri, hiç bir şey yokmuş gibi gülümseyen tombul Churchill, size, dış dünyayı getirir-döker. Onlarla da biter mi ya, Etual'in zevki-keyfi, gelsin artık az ötenize, Afrika ormanları, çikita maymunu ile Tarzanın nefes kesen uçuşları, ya da Versay saraylarında tuvaletli güzelleri öpen, başı pudralı perukalı, fransız soyluları. Nereden de bulur bu kadar komikliği, iğne gibi zayıf Laurey ve ceketi zor iliklenen Hardy?

"Antrak", bir soluk almadır, ve bir anlamda, İstanbul'a dönüştür. Ama sessiz salon, sizi kendisiyle başbaşa tutmaya devam eder. "Frigo" satıcısının tahta kutusuna hafifçe vurarak gönderdiği sesler bile, sahnedeki rüyâlar âleminin devamı için, sadece bir haberci etkisi yapar. Nitekim az sonra ekrandaki yabancı dünya tekrar akmağa koyulur.

Gün gelir, savaş ta biter, yeni bir çağ başlar, gezegenimizde. Neşeli Arjantin tangoları, ve tipleri, kaplar ekranı. Devir, kukaraçça dönemidir. Bir ikindi vakti, böyle bir filmin sonunda halk yavaş-yavaş çıkmağa koyulurken, bir hanım, sahneye fırlar. A! Dolores del Rio'nun yerli kopyası. Tuvaleti, ayağında karyokaları, başında ananasları, muzları ile aynı turbanı, henüz devam eden müzik eşliğinde, kusursuz bir dans yapar.

Bu egzotik diyarlarda yüzer-gezerliği, kısaca söylersek Etual'in bütün sihrini, bozan tek şey, çıkış biçimiydi. Salonu yol hizasında olan sinema, yan sokak boyunca uzandığı için, kapıları da doğrudan sokağa açılıyordu. Personelin dışardan açıp kapadığı bu kepenkler, sizi bir anda, tekrar İstanbul gerçeğine boca ediveriyordu. İçinde yüzmekte olduğum rüyalardan, birden bire yaşama dönüş, dışarda devam eden o bildiğim hayat, mevsimine ve vaktine göre, ya güneşli bir öğle sonrası, ya da yağmurlu ve telaşlı bir Beyoğlu akşamında ıslak taşları yaldızlayan sokak ışıkları, bende tarifsiz bir hüzün etkisi yapıyordu. Göklerden yere bu kadar beklenmedik iniş, benim için, o yaşta, bir şok gibiydi.

Günümüz İstanbul'unda sinema çıkışları böyle değil. Bodrum katlarının da daha altlarına oyulan salonlardan, insan yığınları, derin merdivenleri çıkarak, koridorları geçerek geliyorlar ve bu uzun yolda, hayata tekrar hazırlanmış oluyorlar.

Ama Yıldız Sineması geri gelebilse, finallerde, çocukluğumdaki süprizlere düşeceğimi ve hüzünlere kapılacağımı hiç sanmıyorum. Geçen yıllar bana öğretti ki, biz ölümcül insanlar, meğerse zâten her an, bir kapının eşiğinde imişiz. Yaşarken de, yürürken bile, biz ve en sevdiklerimiz, birden bire açılıveren kapılardan, bambaşka bir diyara aktarılmak üzere, bu dünyaya konuk olarak gönderilmişiz.

Hatta çoğu kez, film bitmeden bile oluyor, bu geçiş.

1930'lar ve 40'lar filmleri. Yıldız Sineması'nın programı.

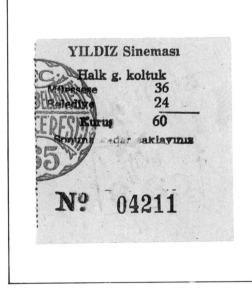

YILDIZ Sineması
Halk g. koltuk
Müessese   36
Belediye   24
Kuruş   60
Sonuna kadar saklayınız
Nº 04211

Yıldız Sineması ve turist romen subayları.

İkbal yıllarında Said Bey Duhani.

Apartman, mûcize olarak, 1990'da hâlâ duruyor.

App. <u>ments</u> NAOUM PACHA

Bu da, daha önce yazdığım bir bahis. Yazarının kitabına önsöz olarak. Ama hem Beyoğlunu gezerken buraya uğramamak olmaz, hem de bir fransız özdeyişi ile, "Un bon lecteur ne lits pas les préfaces" yani iyi bir okur, önsözleri okumaz! Okursa ne çıkar diye de düşünülebilir? Çünkü kitap beş yılda üç bin nusha zor satmıştı.

Onun için, sizlerle bugün İstiklâl Caddesinden, bu ara sokağa sapmağa değer. Benim en sevdiğim, çünkü Montmartre'a benzettiğim yerlerden biridir. Lâle Sinemasının Galatasaray köşesinden girelim, karşıda yol, bir sol, bir sağ yapar. İleride de yine bir zik-zakla, Sıraselviler'e çıkar. Ortada, St. Pulchérie Okulunun tam karşısında, sol köşede, yüzü tuğla rengi taş kaplı, bir apartman yükselir. Kapısı bu yolda değil, Taksim Lisesine sapan yolda. Mermer basamaklı, eski bir demir kapı. Üstünde de, yazısı: App. <u>ments</u> Naoum Pacha. Apartman sözcüğünün hem çoğulu, hem kısaltılmışı, hem de aslı gibi fransızca yazılmışı. Bu da neden böyle? Çünkü biz bu sözcüğü "ithal ederken", bina anlamına almışız. Aslı ise, "ayrılmış bölüm" demek. Yani bizim, daire dediğimiz. Onun için fransızcada, çoğul yazılır. Açıklaması, bu.

Levhada adı geçen Paşa, İmparatorloğumuzun Lübnan kanadından, hristiyan arap, bir devletlû. Allah için, hem devletine sadık kalmış, hem de o sıralar tahtta bulunan Abdülhamid'e. O da bunu iyi anlamış ve kendisini, Lübnan'a mutasarrıf yapmış. Hariciye Nezareti müsteşarı etmiş, Paris'e Sefir göndermiş. Ben ona yetişemedim. Ama kader, biz oğlu ile selef-halef olduk. Turing'de, benden önceki Müdürdü, Lübnanlı deyişi ile, Said Bey Duhanî.

Ustamın ve dostumun, ömrünün büyük bölümü burada geçmişti. Burada başlamamış. Çocukluğu Beyrutta Beyt-ed-din Sarayında, gençliği Paris'te geçmiş. Adamın pederi Sefir olur, gençliği de 1900'ler başının Paris'inde geçerse, kabul edin ki okuyucular, o genç biraz zor okur! Paris, Paris iken. İlk otomobiller, biblo gibi, yeni-yeni işliyor. Soylular ve burjuvalar, kaleşlerde, kabriyolerde gidiyor. Elegan mağazalar, her tarafı süslüyor. Kabareler, tiyatrolar, rövüler, sabahlara dek süren balolar, sonra erken saatte, acı kahve içilen Café'ler, öğleden sonra sirkler, buz patenleri, ipek beyaz şemsiyeleri altında, hûri'ler. Bunlardan yaşamı öğrenmek varken, hangi "tahsili etsin", Tanrı aşkına, bizim Said Beyimiz? O da, Paris'den, diplomalarla değil, eğlence ve gönül dünyalarından zengin anılar ve engin deneyimlerle dönmüş, Payitahta. Bir fransız madamı takmış olarak, koluna.

Mekânları, işte bu apartman. Gelin, sizinle içine girelim. Ama bugün değil. 1920'lere gidelim. Yol hizasında, bir-iki dükkân var: Kağıtçı, koltuk tamircisi, kapı yanında da gömlek kolacısı. Birinci katta, Dandini Bey, Duhanî oturuyor. 2 yola bakan, 4-5 tane oda. Bir resimden biliyoruz mobilyasını da. Dönemin tüm moda eşyaları. Aynalı büfeler, ahşabı çok, kumaşı az, yeni kübik takımlar. Gözünde monokl (yani ki, tek cam), elinde bir Paris ceridesi, (ama ben biliyorum, aklında dâim, yüzlerce hayâl-i cânan), bir mutlulukta yüzen beyimiz. Kimileri inanmaz ama, 1920'ler Beyoğlusu da, Paris'i çok aratmaz! Turing bürosu, iki oda, 2 memur. Dikte edilecek iki fransızca mektup, redakte edilecek 2 broşür. Sonra madam kolunda, bir kaç ziyaret, 5 çayında, kaç tane müzikli lokal, akşam yemeğine, Pera Palace da olur, Tokatlıyan da. Hava güzelse, bir taxi ile, bomboş Maslak yollarında, Tarabya'da Summer Palace'a inilir. Karşıda mavi deniz, terasta orkestra. Mevsim kışsa, Petit Champs'da, ya konser ya opera. Sanır ki gafil insan, yaşam hep böyle geçer!

Duhanî'nin de ömründe, gün gelir, acı bir rüzgâr eser. Döker, bir anda, bütün yaprakları: Bir gece oğlu, tek çocuğu, artist gibi yakışıklı Sadi, ya bir kız, ya bir ders sorunundan, kendini tavana asar. Olacak şey mi bu Tanrım! Bu nasıl kader! Ah bilseniz herşey, o altın kalpli Said Beyimin hayatında, bütün bir film, nasıl bir hızla, geriye sarar? Madam, Paris'e döner. Eşyalar satılır, daire boşaltılır. Naoum Paşazâde Said Bey, tavan katına taşınır. kendini bir hücreye hapseder. Kırk yıl kadar bir zaman, sevgili okurlar, bir ömür boyu böyle geçer.

Her gün, saat gibi, belli bir program: Sabah onda kalkılır, kahvaltı etmez, çünkü kederden, şeker hastalığına yakalanmıştır. Sandalyeye asılı tek ceketini ve tek pantalonunu giyer. Tek lüksü, sanırım oğlunun armağan aldığı altın kol düğmeleri ve kendisinin vaz geçmediği, biri yeşil, biri mavi, biri kırmızı mürekkeple yazan gümüş kalemleridir. Onları yeleğine dizer. Sonra yola koyulur. Hachette'e kadar yürür. Le Figaro ile Canard Enchaińe'sini alır. Yürürken ona buna çarpıp, bir pardon çeker, çünkü yolda bulmacalarını çözer! Bunların hepsi, bir tek şey içindir: Unutmak. Öğle yemeği, muhallebicide krik-kraklı bir sebze. Sonra Turing'te yine iki dikte, iki redakte. Akşam Feridiyede oturan iki kaknem madam yeğeni ziyaret. Bir tabak sebze. Gece, başındaki tek ampulün ışığında bir kitap "kıraatı".

Kırk yıl, böyle geçti. Kendini mahkûm ettiği odasını, ancak ölümünden sonra gördüm. Kapıcısı (semtin muhtarı) Celâl Bey, aynı katta 3 odada oturuyor. Kendisi sandık odasında. İki metrelik bu aralıkta, tek bir kerevet vardı, bir de tahta raflarda, (Kuruma nakledip ciltlettirdiğim) fransızca romanlar. Paris'ten ona kalan son anılar. Kızlar, balolar, şampanyalar, birer köpük gibi uçup gitmişti, ama, o her gece okuyarak, Paris'ten bir tek şeye, fransız edebiyatına sadık kalmıştı.

Alman Hastahanesinin yalnız bir odasında, son nefesini verirken, biraz sonra Sadi'ye kavuşacağına, bütün kalbiyle inanıyordu. Kırk yıl sonra bir kez, ilk kez, huzurlu ve mutlu bulmuştum onu.

Beyoğlu sokakları, anılarla, dramlarla doludur. Onun için galiba, bu binalar, öylesine dalgın ve gamlı durur.

Bu sokağı çok sevdiğimi yazdım ya başlarda, gerçekten öyledir. Ama App. ments Naoum Pacha'nın önünden ben pek geçemem.

Çünkü Beyoğlu yapıları, genelde dalgın ve gamlı durur. Ama kimi de var ki, bana bakar, sitem eder, ve inanın ki, konuşur.

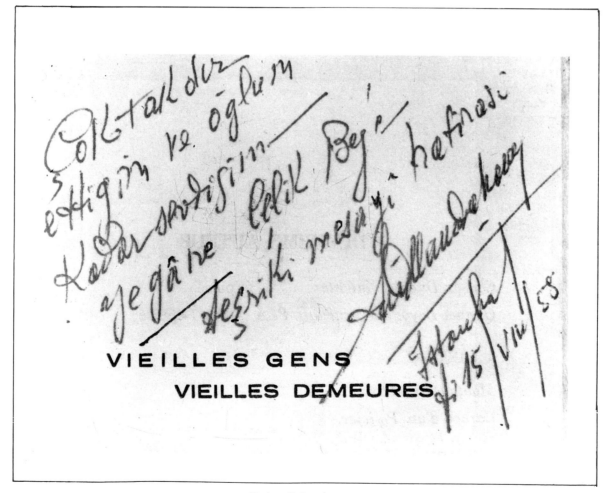

Duhani'nin el yazısı.

Yaşlılığında Said Bey Duhani, 1955. Hâlâ kırma yakalı...

1990'da Tel Sokağı'ndan kalanlar. Bayraklı bina, Beyoğlu Spor Kulübü. Onun yanında, Şükûfe Teyzelerin evi.

TEL SOKAĞI

İstiklâl Caddesinden, Parmakkapı'ya girin, St, Pulcherie Okuluna gelmeden, sağdan sapan sokak, bu adı taşır.Bugün buraya girelim. Hem, burası Beyoğlu'nun 70-80 yıl önce kıvamını bulmuş bina dokusunun bir örneğidir, hem de anılarım dolayısıyla benim anlatacaklarım var. Çünkü yapıların çoğu duruyor ama,insanları durmuyor. Size bu sokaktan iki portre çizeceğim.

Benim Tel Sokağına ilk girişim, 1940 yılında. Demek ki 4 ay sonra, yarım yüz yılını kutlayabilir. Ablamların ilk tuttuğu ev, Süslü Saksı Sokağındaydı. İki yıl sonra orasını satan ev sahipleri, çocukları olmadığı için, çok ısındıkları ablamla enişteyi, Tel Sokağındaki evlerine almışlardı. Sokak, loş ve karanlık başlayıp, sonunda aydınlanan, ikili bir bünyedeydi. Önce solda, heybetli iki taş bina vardı ki, nasılsa hâlâ yerindeler. Birincisi, içinde balolar verilebilen görkemli bir yapı. Şimdi bir katını Beyoğlu Spor Kulübü kullanıyor.Sonra iki-üç kârgir ev, sonra Rum okulu olarak yapılmış, görkemli bina. O da duruyor, İlk Okul. Bizimkilerin taşındığı, aradaki evlerden sonuncusuydu ve arkadan, okulun saray gibi binasına ve bol ışıklı bahçesine bakıyordu. Evler de hâlâ duruyor. Mûcize. 4 katlı kârgir bir yapı. İlk katta ev sahipleri oturuyordu. Üstünde bizimkiler. 2 kat ise, boş! Yanlış okumadınız, üst iki kat boştu. Beyoğlunda boş bina nasıl olur? İnsan sayısı bina sayısından az olursa, olur. 1960'lar öncesi İstanbulu, öyleydi.

Bizimkileri bağrına basan ev sahipleri, Tevfik Bey ile eşi Şükûfe Hanım için, Beyoğlu'nun ilk türk sâkinlerinden, denilebilir. Onun için, sosyolojik olarak onları tanımamız gerekiyor. 1920'li yıllarda yerleşmişler. Tevfik Bey, emekli. Şişman, klasik giyimli, pantalonunu neredeyse göğsüne çıkacak seviyede diktiriyor. Kravatı hiç eksik değil, hatta altın maşalı. Hanımı, baş örtülü değil, şapkalı. Hafif tombul. Yazın bol çiçekli, neş'eli tonlarıyla emprime ipekliler giyiyor, bilekten kemerli beyaz pabuçları var, kolunda koca kulplu, geniş çantası. Bu frenk mahallesine tam "entegre" oldukları söylenemez. Frenk ve lövanten komşularla sıkıfıkı değiller. Fakat iki taraf ta, birbirinden memnun. Dostlarımız, Beyoğlu yaşamının balolar, kulüpler cinsinden her türüne değil, ama büyük bölümüne katılıyorlar. Nelere mi? Önce, tiyatro meraklısı, ikisi de. Sonra tramvaya bindikleri gibi, Şişli'nin Bomonti bira bahçesine, Harbiye'nin Novotni'sine uzanıyorlar.Cihangir'in Cennet Bahçesine ise, yaya gidilir. Tevfik Bey, yalnız çıktığı günler, akşamları mutlaka Mavi Köşe'de biraz demlenip eve öyle dönüyor. Orası da neyin nesi mi? Onu ayrıca yazacağım.

Yaşlı çiftin boş kaldığı günlerde de, özellikle kışın, en sevdikleri iş kitap okumak. Evet, yanlış görmediniz. Kitap okuyorlar. Ama, Kerime Nadir - Mükerrem Kâmil Su - Peride Celâl, hanım üçlüsü, ama Esat Mahmut Karakurt - İskender Fahrettin, beyler ikilisi. "Ay buluta girdi, oğlan kızı öptü" cinsinden, dönemin deyişi ile "harc-ı âlem" romanlar.

Boş üst katlardan biri, içinde kendimi yitirdiğim ayrı bir cennet. Karaköy Pastahanesinde çalışan bir madam oturuyormuş, çıktığında, bütün pasta kutularını bırakmış, Kordelalı, fiyongolu, sırmalı, menekşeli, kadife ve ipek kumaşlı veya üstleri İsviçre ve Tiroller görünümlü metal kutular, çoğu Avrupa malı, bir oyuncak dünyası zenginliğindeydi.

Ama en ilginç yer, evin dışında, sokağın kendisiydi. Dışarı iki adım atınca Avrupaya gelmişim gibi bir duygu kaplıyordu içimi. Sokağın başlangıcı, biraz loş ve benim için biraz da sevimsizdi. Fakat hem okul tarafı aydınlık ve güzeldi, hem de yeşil bir köye benzeyen Yıldızdan sonra bu binalar dizisi, bana çok değişik geliyordu.

Yazık ki bu turistliğim, sadece 2 yıl sürdü. Savaş yılları yoğunlaşınca, eniştem askere çağrıldı. Bu mâceranın nasıl biteceği belli değildi. Biz de daha geniş bir ev tutarak, ablamı Yıldız'a yanımıza aldık ve göz yaşları içinde Tevfik Beyleri evlerinde yalnız bıraktık.

Tel Sokağının ikinci portresi, Willy Sperco. Venedik kökenli, İstanbula yerleşmeleri tâ Fetih öncesiCeneviz çağına uzanan, bir lövanten aileden. Uzun yılların vapur acentesi. İyi bir işi, kurulu düzeni var. Evi de okuldan sonra, sol kolda, 37 sayılı güzel birkonak. Kendisi ufak tefek,başı omuzuna yapışık, âdeta çirkin, son derece zeki ve de sempatik bir tip. Kalın giysilerini, yeleği ile, yazın bile değiştirmiyor. Pabuçları hep pırıl-pırıl. Beyoğlulu bir burjuvanın rahat yaşamı ona yetmiyor. Aydın kişi ve sadık bir Türk dostu. Hepsi fransızca olan kitapları var.

Kendisiyle Tel Sokağında demek ki komşuluk etmiş olduğumuz yıllarda, tabiî ki birbirimizi tanımadık. Ben çocuktum. Ama 1950'lerden itibaren iyi dost olduk. Kurumda üyeydi, Reşit Safet Beye saygısı, Said bey Duhanî ile de, çok eski ahbaplığı vardı. Duhanî ne derece içine kapanıksa, Sperco o denli açık, biri ne kadar acılı ve kırık ise, öbürü daha fazla oranda, yaşama bağlı ve keyifli idi. Yakında bir eserinin türkçesini yayınlıyorum. Yaşamını ne kadar keyifli geçirdiği, görülür. Sperco, bütün gün görmüşlüğüne karşılık, Said Beyin dramını anlamak istemiyor, kendisi Belediye Gazinosunda programlı yemeklerin, Tokatlıyanda baloların, Ankara Vapuru ile Akdeniz gezilerinin birini bırakıp öbürüne geçerken, Duhanî'nin melankolik yaşamı ile, gözlük camlarını parlatarak, inceden, dalga geçiyordu: "Said beyimiz her daveti sistematik olarak reddeder!" Daha fazla gün görmüş olan bizimki ise, cevabını bana bildiriyordu: "Evet ama, çayımı da doğru dürüst, gidip Löbon'da içiyorum. Onun gibi, ısınmak için, Hachette'e girip saatlerce kitap karıştırır gibi yapmıyorum!"

Şimdi ne yapıyorlar acaba? İkisi de katolik oldukları için, teoriye göre, ahrette aynı bölümde olsalar gerek. Hayatta yalnız kalan Sperco, 1970'ler sonunda Romadaki kızının yanına nakletti, orada vefat etti. Tel Sokağındaki güzel konağı da, tabiî yok oldu gitti.

Said bey ile tatlı bir rekabet içinde olan Sperco, tuhaftır, bana som bir dostluk gösterdi. 1960'lar sonunda başlayan Kurumu geliştirme sürecim, onun bana bağlanmasına yetmiş. Hiç haberim olmadan, önce İtalyan, sonra Fransız Cumhurbaşkanı'nın bir jestte bulunmaları için, Dışişleri Bakanlıklarına başvuruları, o yapmış. Kurumu büyütmenin ve paraya kavuşturmanın başıma açtığı gaileler içinde, müslümanlarla savaş ettiğim 1970'li yıllarda, meğerse ben, bir katolikten, en büyük bir iyiliği görmüşüm! İşe bakın, siz. İyiliğin de, bilmeden Tel Sokağında yan-yana oturduğumuz birinden gelmesi, rastlantı mı, kader mi?

Sperco'nun son demleri.

MAVİ KÖŞE

Taksimden Galatasaraya doğru giderken, Fransız Konsolosluğuna bitişik olan güzel ve karakterli köşebaşı yapısının altındaki içki evi, bu adı taşıyordu, Yapı hâlâ duruyor. Ama bizde her tür ve cinsten kurumlar-kuruluşlar, kişilere ve onların da, derece-derece, parasına, hevesine ve en son da,ömrüne bağlı olduğundan, içki evi durmuyor.

Maviliği, dekorlarından ileri geliyordu. Cephede taş kaplama sütunların arasında yer alan vitrin-pencere arası camlı kısımların yukarı kısımlarına mavi birer band çekilmişti. Kapının üstünde, 1920'lerin moda harfleri ile, müessesenin adı yine mavi harflerle yazılıydı. İçerde bir çok dekor, bu dinlendirici renkleri taşımaktaydı. Sağ duvarda tezgâh yer alıyordu, sınırlı çaptaki salona üstleri mermerli küçük masalar ve cilâlı sandalye-koltuklar serpilmişti. Peki, köşe başında mavi bir salon işte, bunda ne var diyeceklere, anlatacağım şu: Burası, Beyoğlundan da değil, İstanbul şehrinden, bir kesitti. Hiç bir mekân, sadece fiziği ile kişilik kazanmaz, hatta can bulmaz. Çerçevelere yaşam veren, içindeki resim değil midir? Mavi Köşenin de İlginçliği ve karakteri, ne köşebaşı yerinden, ne de dekorlarının maviliğinden ileri geliyordu: İki cins insan, iki tür İstanbul hemşehrisi, burasını "Mavi Köşe İçki Evi" yapıyordu: Gelen-giden, giren-çıkan müşterileri ve onlara hizmet eden garsonları. Bu grubun ikisi de, kesin farklarla ayrılmış değildi. Sadece kılıklarıydı onları ayıran dersem, bana inanır mısınız? Çünkü daha sonraki zamanlardaki durumlara göre, çok aykırı bir bilgi vermiş oluyorum da.

Ama önce müşterileri çizeyim: Gelenlerin hepsi, dönemin deyimleri ile, "temiz-tirendaz-kıranta" beylerdi. Şişman olsun, zayıf olsun, modern giyimli, ya da hâlâ dıştan sarılı kravatlı ve katı kolalı yaka takmış bulunsun, gudubet ve suratsız, ya da yakışıklı ve gösterişli, bu efendilerin ortak bir yanları vardı: Efendilikleri.Efendilik nasıl oluyor? Tanımlaması o kadar güç değil: Giysisi eski de olsa, yeni de olsa, tertemiz. Kesinlikle, boynu bağlı. Pantalonu soba borusuna dönmemiş, bıçak gibi ütülü. Ama kıyafet de yetmez ki, adamı adam etmeye. Eski bir deyiş, "Zerdûs palan vursan, eşek yine eşektir" diyor. Giysiler de, aslında ve bir yerde, içindeki adamın ne olduğunu yansıtır. Ama bakarsınız, dış görünüşü özenti veya rastlantı olabilir. Ya da o kılığı efendinin üstüne, hanımı geçirip yollamıştır. Onun için, kumaşların içindeki yaratığın kendisi, daha önemlidir. Ha işte, Mavi Köşenin beyleri, ayrıcasız ve de yapmacıksız, tek bir tipi oynuyorlardı: Davranışları ölçülü, durmuş-oturmuş, sözü sohbeti yerinde, yaşamda epeyce şeyi görmüş geçirmiş, ve ruhları da aç değil doymuş, az lâf eden, çok anlatan, dost canlısı, ama başını da dinlemeyi seven, özetle, ağız buran ham armuta değil, kıvamını bulmuş, kaşıkla yenen Trabzon hurmasına benzeyen insanlardı.

"Bunları dünkü çocuk, nereden de biliyorsun" diye soracaklara da, cevabım açık: Ben on yaşında, tam iki yıl, buraya devam ettim! Kimse telâşlanmasın, aperetif almaya değil, Tel Sokağında ev sahibimiz Tevfik Beye, her akşam uğradığı bu keyif köşesinden biraz rötar yapınca, hanımı Şükûfe Teyzenin çağrısı ile, evi hatırlatmak üzere, haberci olarak gidiyordum.

İçki ile, bir-iki likör markası ve az bir miktar şarap dışında başım hoş olmadığı için, yetişkinlik çağımda bu eski hukuk köşesine,kendim devam etmedim. Ama önünden her geçişte, pantalonunu göğsüne kadar çıkarmış, şişman Tevfik Bey amcanın anısını selâmlamak âdetindeyim. İçerde bir süre, hep aynı amcalar gözüktü, zamanla onlar birer-birer, kayıplara karıştılar, sonunda da Mavi Köşe kepenklerini indirip, bambaşka bir köşe olarak yeni İstanbul'a katıldı. Burada dükkânların biri kapanıp öbürü açılıyor ve "arabesk" ürünler, vitrinlerde arz-ı endam edip duruyor.

Bizim Mavi Köşe'nin garsonlarına gelince, bunlarla müşteriler arasındaki tek ayırımın, giysilerde olduğunu yazmıştım. Gerçekten öyle idi. Zaten sayısı bir kaç kişi olan bu insanlar, sanırdınız ki, biraz önce masada otururken, kalkıp beyaz ceket giyerek servise başlamış bir müşteridir. Bu gümüş saçlı efendi adamların tutumu, havası, ve düzeyi hakkında bir fikir vermek üzere, şu örneği vereyim: Olay gerçi burada değil, Taksimin başka bir kahvesinde geçiyor. Ama başta dediğim gibi, Mavi Köşe, şehirdeki bu tip daha bir çok yerin bir temsilcisi durumundaydı. Biraz daha şıkı ve aynalısı, yani Beyoğluna yakışanı.

Bir arkadaşım, gençliğinde, Taksimdeki bir gazinoya, konuştuğu kızla gitmiş. Konyağı biraz fazla kaçırınca, arkadaşı kaygı duymuş, bizimki ısrar etmiş. Servisi yapan yaşlı garson eğilerek hanıma demiş ki: "Çok özür dilerim, istemiyerek duymak durumunda kalıyorum. Ama size güvence vermek isterim: Delikanlı beyefendi, devamlı müşterimizdir. Her zaman, 3 kadeh içer ve bırakır. Hiç merak buyurmayın."

Dostum, oraya ilk kez gittiği için hayretten dona kalmış ama, tabiî, mesajı da almış. Sonuçta, herkes memnun. Hanım kız rahatlamış, bizimki bir yerde durmuş, efendi garson da iyi bir bahşiş almış.

Eski garsonlar, sade efendi değil, aynı zamanda birer halk filozofu idi. Şimdi yönetmeğe çalıştığım genç garsonlar taburlarına, yukarki olayı anlatıyorum. Başka ne yapabilirim ki? Ama onlar da bana, Mavi Köşenin müşterilerini sorsalar?

Toplumlar, birer terâzidir. Kefenin biri koparsa, öbürünü kimse tutamaz.

Lâle Sineması bitişiğinde 79 ve 81 numaralar.

İSTİKLÂL CADDESİ, 81/III

Lâle Sineması bitişiğinde, dışı kârgir, içi tahtadan, köhne bir yapıydı. Bunun kapısından ilk girişim, 1947 yılı Eylûl ayında oldu. Yaz sonu, çiçeklerin kıvamını bulduğu, ama sonbaharın da ucun-ucun kendini göstermeğe başladığı bir öğle üstü, Konağın bahçesinden buraya çağrıldım. Taksim, benim için yabancı bir yer değildi. 1939'dan beri bu çevrenin çeşitli köşelerinde ablamlar yanında oturmuştum. Ama İstiklâl Caddesi üstünde bir yapıya ilk kez giriyordum. Ahşap ve yorgun merdivenlere biraz korkuyla basarak çıktım. Üçüncü -ve son- kat, önde biri küçük, öbürü büyük, arkada da öyle, 4 odası ile, Turing Kurumunu barındırıyordu. O gün, Yıldız Sarayı Şale Köşkünde toplantı halindeki uluslararası bir konferansa, Ulaştırma Bakanına bir zarf götürmekle başladı, ilk işim. Sonra 10 lira aylıkla, lise öğrencisi olarak, yarım gün çalışmakla devam ettim.

İki tam, iki yarım odaya sığışan kuruluş, hâlâ 1920'leri yaşıyordu: Mobilyası, daktilo makineleri ve de kişileri ile. Lausanne Konferansı Genel Sekreteri, eski meb'us Reşit Saffet Bey, Kudüs Mutasarrıfı Cevdet Bey, Meşrutiyet döneminin isimlerinden Doktor Nihat Reşat Belger, Hariciye Müsteşarı Lübnanlı Naoum Paşanın oğlu Said Bey Duhanî, İstiklâl Savaşı kahramanı Ali Fuat Paşa, millî hatip Hamdullah Suphi Tanrıöver, eski şehreminleri Doktor Cemil Paşa ve Doktor Emin Erkul... akşam toplantılarında kapının eski usul zilini çevirenlerden, sadece bir kaçıydılar. Hemen hepsi siyah ceketli, setre pantalonlu, bir kısmı hâlâ dik kolalı yakalarına kravatlarını dıştan bağlamış, bu Osmanlı çelebilerine, kimi akşamlar, bir frenk de katılıyordu: Keçi sakalı ve papyonu ile, şehirci profesör Henri Prost. İstanbula Vali Dr. Kırdar ile modernizm tırpanını vuran fransız uzman, zeki ve sevimli asistanı Mimar Aron Anjel ile, burada Osmanlı kadrosuna kübik projelerini kabul ettirebilmek üzere, nefes tüketirdi.

İstanbulun yaşadığı bu ilk büyük imar operasyonu dışında, akşam toplantılarının ele aldığı ikinci büyük konu, o sıralar adı yeni-yeni duyulmağa başlanan, turizm'di. Savaş öncesinde tadı biraz alınan bu olay, ateşin Avrupadan uzaklaştığı bu yeni açılan dönemde, Türkiye'nin de gündemine giriyor, resmî kuruluşlar, konuya, "para, yatırım, yol, otel, uçak" açılarından bakmaya başlıyorlardı.

Eski stilde ağır lambaların soluk ışıklarının altında konuşan, üst cebi ipek mendilli beyefendiler ise, turizmin maddî bir mesele değil, bir kültür sorunu olduğu tezindeydiler. Yol ve otel yapımından önce, halkın eğitilmesini ve reklâmdan, propagandadan önce, "memleketin hazırlanmasını" istiyorlardı. Bunun için "Övropadan" örnekler getiriyorlar, kişisel deneyimlerini naklediyorlardı. Ben, 17 yaşındaki yeni yetme, hepsini ilgiyle dinliyordum. 1960'larda devlet, turizmi ilk kez ciddî olarak ele aldığında, bu efendilerin tavsiyelerinin tamamen tersini yapacak ve eğitime 5 para ayırmadan, kalabalık bir bakanlık kurmaya ve reklama girişerek, 1940'lar erkânından vefat etmiş olanları, kabirlerinde ters döndürecekti. O yıllar geldiğinde, ben eskilerin görüşlerini çok düşündüm -ve yaydım-. Onların, Batı'nın ekonomik kökenlerini (ve o yapının turizme etkisini) iyi bildiklerinden şüphedeyim. Fakat kafalarının ve bakış açılarının, turizmi sırf uçak ve otel sayan "çağdaş" uzmanlarımıza göre daha ileri olduğunu, sonraları daha iyi anladım.

İstiklâl Caddesi 81 sayılı yapının "müdâvimlerinden" biri de, gazetemiz Cumhuriyet'in o zamanki yazarlarından biriydi: Kemal Ragıp Enson. Ufak-tefek, ciddî ama sevimli, çok temiz giyimli, bir gazeteci-romancı. Yıllarca geldi, yazdı, konuştu ve saygın bir çevre yaptı. Tek çocuğu ve sevgili eşi ile, mutlu bir ev hayatı da vardı. Ama bu nasıl bir dünyadır, ve nemenem bir yazgıdır, insanlarınki! Dostu Duhanî gibi, onun da oğlu, bir gece kendini tavana asmaz mı! Sabah oğlunu, evlere şenlik, o halde gören sevgili eşi, aklını yitirip, aynı yere çıkmaz mı? Romancı Kemal Ragıp ta, her iki fâciayı yaşadıktan sonra, bu kez, uçuruma sürüklenen bir arabayı bilinçli kullanan bir sürücü gibi, her işini düzenleyip hazırlıklarını bitirdikten sonra, bir de son bir kitap yazıp, kapağa oğlunun resmini basıp, aynı ipi boynuna geçirmez mi! Böylece en son'a kalmış olan romancının, yıllar önce, bilmeden aldığı bu adı ile, uğradığı bu melodramı farkeden dostları, aylarca, dehşete düşmezler mi?

İstiklâl Caddesinde şimdilerde yürürken, 81 sayılı yeni ama ruhsuz binanın önünden, bütün bunlar olmamış gibi, ben nasıl, basıp gideyim, sevgili okuyucular? Yapamam onu. Bir gemi gibi, karşı kaldırıma bir süre demir atar, eski, cumbalı yapımızı seyre dalarım. İçinde ilk derslerimi aldığım, tüberküloz olduğum, bir roman kitabını yaşar gibi, bir opera sahnesinin tam içine düşmüş gibi, dostluklar kurduğum, eski köhne binanın merdivenlerini hayalimde tekrar tırmanırım.

Tuhaf şey, kimi gün, çıktığım yer, 3. katın 2 buçuk odalı eski dairesi olur. Yine herkes yerli yerindedir. Ama kimi kez de, sürrealist bir resim gibi, kırılır, bu tablo. Ya da gerçek üstü bir rüyada olduğu gibi, kapıyı açınca bambaşka bir yere adım atmış olurum:

Zahmetli bir yokuşun, 40 yıl sonra, beni ulaştırdığı yeni bir düzlükte, kısmet olup ellerime kalan saraylara, köşklere, ve parklara girmiş bulurum kendimi. O paslı demir kapının arkasında, 40 yıl sonra olsa bile, o köhne merdivenlerin sahanlığından ayağımı atıp, altın ve gümüş çerçeveli bahçelere geçeceğim, o zamanlar, akla gelir miydi? Karşıda Fitaş Sineması önünden buraya bakıp dalarken bunları da düşünürüm. Ziya Osman Saba, aklıma düşer:

"Herşeyde bir hikmet var / Gecenin sonu seher, kışın sonunda bahar / Belki de bir bahçeyi, müjdeliyor, şu duvar?"

1940'lar T.T.O.K. yöneticileri. Ortada R.S. Atabinen. Arkada en sağda, Kemal Râgıp Enson.

BELEDİYE KAZİNOSU

Bugünkünden söz edecek değilim. Onun yazılacak hali mi var? Gezi dükkânlarının üstünde yan yatmış bir kutu. Dışarıdan yine idare ediyor da, içerisi şakır-şakır kristalli, dayanılmaz bir arabesk.

Benimkisi, Sheraton'un yerinde, 30 yıl kadar yaşayıp öbür sayısız yapılar gibi İstanbul sahnesinden silinmiş olan, eski "Kazino". (Ne yapalım, sözcüğün fransızca aslı da böyle). Onun da yeri, önceleri bir azınlık mezarlığı imiş. Frenk nüfusun "Grand Champs des Morts" diye adlandırdıkları ölüler alanı'nın, ucu. 19.yy. sonundaki Beyoğlu dokusu, kabir taşlarını iteleyip yerini düzleyerek, karşıki görünümü seyreden bir café-chantant yapmış. Ali Fuat Cebesoy'un "Arkadaşım Atatürk" kitabında anlattığı okul anıları içersindeki bira bahçesi işte burası.

1940'lar geldiğinde, dünya yanarken, yoksul, ama 12 milyonluk nüfusu ile sessiz ve olaysız oturan Türkiyede, İstanbul, yeni bir dönemine giriyordu. Bir "imar hareketi" idi, bu. Ülkenin tüketime harcanmayan bir döviz ve bütçe birikimi vardı. 700 bin kişilik en büyük kentte, hiç bir nüfus, konut ve ulaşım sıkıştırması olmadığı halde, sırf modernizm-kübizm hevesiyle, bir yenileştirme hamlesi başlatıldı. Olayın dinamosu, Millî Şef'e dayanan Vali-Belediye Başkanı Dr. Kırdar'dı. Bulvarlar açılır ve iki yanına bloklar dikilirken, bu köşeye de, "şehrin şânına lâyık", ama aslında rahat yaşayan azınlık için, bir Kazino, kısa zamanda yaptırıldı. Önündeki park, cadde'ye kadar, çok güzel düzenlendi.

Yapının Harbiye'ye bakan yüzü, basitti. İki yana oturtturulmuş, yüzü tık-tıklı, yatık beton kalıplar. Fakat Taksim'e bakan cephesi, yüksek tavanlı, balkon ve teraslı, yuvarlak bir pavyon ile, anıtsallaşıyordu.

Harbiye tarafından girilince, sağdan gece kulübü bölümüne geçiliyor, karşıdan ise görkemli bir merdivenle, Kazino'ya çıkılıyordu. Bu üst salon, ferah, güzel bir yerdi. Ortası bir kaç basamakla inilen, dans pisti, çevresi balkon şeklinde bir set, masalar orada yer alıyor, solda içerde mutfaklar, yine solda, üst balkonda, orkestra çalıyor.

İstanbul sosyetesi, 30 yıl, burada iyi keyif etti. Eğlence geceleri, çay ve dans partileri, bu salonda parıldadı durdu. Biz de, 1953'te Kurum'un 30. yılını kutladık. Üst salona ilk girişim, bununladır. Vali Gökay, Belediye orkestrasını ücretsiz vermişti. Dönemin hemen bütün ünlüleri, dâvete katıldı. Geceyi taçlandıran olay ise, kraliçeliği kazanmış olan Günseli Başar'ın gelişi oldu. Bütün salon'un gözleri ondaydı. Esmer güzeli hanım doğru-

su bunu hak ediyordu ama, ben, felsefe meraklısı lise öğrencisi, insanların neden dolayı görünmez güzelliklere değil de, görünürlerine bu kadar düşkün olduklarını kendime soruyordum. O akşam, vaktimin çoğunu, hayranı olduğum yazar Abdülhâk Şinasi Hisar'a ayırdım. O da, genç ve tutkun bir okuyucu bulmaktan çok memnundu. Beraber çekilmiş fotoğrafımıza şimdi bakarken 1953 yılı Eylûl ayını yaşıyorum. Yakası karanfilli centilmen ve paşazâde Kadri Cenanî Bey'in masamıza gelip, "Monşer üstad! Yazdıklarınızı bu yeniler, bâri anlıyor mu?!" diye gürlemesini, Hisar, gençlerden çok hoşnut olduğunu söyleyerek cevaplamıştı. Aydın yanılgısı işte! 1963 kışında cenâzesi kalkarken, Aksaray Valde Camii'nin avlusunda bir tek genç ortada görülmeyecekti. Bir duvara dayanmış sessizce ağlayan alman hayranı, fransız okutman Frau Buck, "Avrupa'da bu çapta bir yazarın anısı için, yer yerinden oynar. Sizin Üniversite gençliğiniz nerede?" diye hıçkırarak bana soracaktı. "Kimi kahvede, kimileri stadyumda, çoğu da geçim derdinde" diyememiştim.

Daldığım fotoğrafı, albümdeki yerine koyup, binayı gezmeğe devam edelim. Yan kanattaki kulüp, benim daha iyi bildiğim bir yer. Gece hayatım dolayısı ile değil tabiî.

Kurum'un kongrelerini bu salonda yapıyoruz. Tam 15 yıl, her Nisan, buradayım. Ama bizin toplantı ile, tuhaf bir görüntü ortaya çıkıyordu. İki yandaki yumuşak ve derin, kırmızı kadifeli divanlar, havaya biraz ciddiyet veriyordu ama, pes-pembe boyanmış, çevresi de caz âletlerinin her türüyle dolu sahnede yer alan ciddî Kongre Divanı, biraz komik bir tablo oluşturuyordu.

Kurum'a -ve de bu binaya- ilk girdiğim yıldı. 1948 Nisanında burada genel kurulu yaparken, sahnedeki çelişki kadar beni şaşırtmış olan bir olay da yaşadım: Şehrin hemen bütün ünlüleri hazırdı. Vali Dr. Kırdar da. Hatta garip bir şey, vali, frak ve silindir şapka ile gelmişti. Başka bir yere daha mı gidecekti, bilmiyorum. Ama içi kırmızı atlasla kaplı pelerini ile, zâten heybetli adam, resmî bir anıt gibi oturdu.

İstanbul'un imarının hızını bitirmiş dönemiydi. Halk ve basın, -daha sonraları olacağı gibi-, görüntüyü beğenmişti. Batı'da bu işlerin böyle yapılmadığını ve asfalt cadde uğruna binlerce güzel ahşap evin kurban verilmediğini bilen bir azınlık ise, kırgındı. Onlar da, bizimkiler. Raporda bunu "münâsip bir dille" belirtmişler. Bu kadarı bile, heybetli valiyi küplere bindirmeğe yetti. Söz alarak, İstanbul'un "asrîleşmek" ihtiyacından anlamayanlara bir güzel bindirmekle kalmadı, Kurum'un bu kısmının feshinden bile bahsetti. Benim, nerede ise dudağım uçuklayacaktı. Fakat gök gürültüsünü andıran bir konuşma, 40 yıllık diplomatlık yaşamında buna gelinceye kadar daha nice bâdireler atlatmış olan

Reşit Saffet Bey'in manevrası ile tatlıya bağlandı. Vali ile Başkan, kol-kola büfeye yürürlerken, ben de Hukuk'tan önce, hayat üniversitesine ilk adımımı atıyordum.

Dr. Kırdar'ın "asrîleşmek" deyimi, çok sonraları, karşıma "çağdaşlaşmak ve trafik gereksinimi" gibi yeni formları ile çıkacaktı. "Yeni bir İstanbul'un götürülüp dışa kurulması ile, eskisi yok edilerek onun üstüne oturtulması" diye özetleyebileceğim iki zıt tezin bu 1940'ta başlayan kavgasına, ben de 1970'lerden sonra katılmış olacaktım.

Eski kent tamamen tükenene kadar, (çok ta bir şey kalmadı) savaşın süreceği anlaşılıyor. Ama kent ve politika yöneticilerinin, artık içi kırmızı atlaslı pelerin ve silindir şapka giymediklerine, ne kadar memnunum, bilemezsiniz. Nasıl olsa, onların dedikleri oluyor. Hiç değilse kılıkta eşitiz.

Hâ, Belediye Kazinosunun ne olduğunu soracak olursanız, onu yine sahibi, yani Belediye, yıktı. Yerine Sheraton dikildi. Fransızca kitabında "Ayez pitié, Ayez pitié du Casino du Belediye!" (Acıyın, acıyın, O anılarla doludur) diye kafiyeli olarak ağlayan Sperco'dan başka, kimse de dert etmedi. Sheraton salonlarında eğlenceye devam!

*Albümümden bir fotoğraf. Abdülhak Şinasi Hisar ile ben
Tarih: 2 Eylül 1953. Kazinoda...*

1940'lar. Kazino'nun Taksim yanı. Kapıda polisler. Bir devletlû gelmiş.

103

Eski doku içinde, topraktan bir yanardağ fışkırmış gibi duran, kartallı saray...

ALAMAN SEFARETİ

Geçen yüzyılın son çeyreğinde bile, buraları da, hep mezarlık. Harbiye tarafları azınlıkların, Ayazpaşa yamaçları ise, müslümanların. Bir çok ünlüyü de barındıran bu yeşil servilik alanların ortasında, dönemin ölçüsü ile bu gökdeleni yükselten gelişme, Büyük Frederich ile başlıyor. Bu güçlü hükümdar, Prusya için tehlike oluşturduğuna inandığı Rusya ve Avusturyaya karşı Osmanlı desteğine önem vermiş. Fakat burada III. Mustafa, kırk yılda bir bulduğu bir barış dönemini yaşadığından, oralı olmamış. Onun yerine geçen III. Osman'ı, bu işe hazırlamak, hatta haber toplamak üzere kendi yâveri Teğmen Haude'yi İstanbula gönderen Frederich'in yolladığı armağanlardan başka, emrine verdiği para bile, inanılmaz bir şey: 1 milyon taler! Tuhaf dünya. Kendine göre bir düzen kuran insanlık, gerçeklerin yazılmasını da, elli yıl sonraya bırakıyor. Kimin ne halt ettiğini, ancak bir sonraki kuşak öğrenecek. Pekiy, dün bunlar olmuşsa, bugün kimbilir neler "cereyan ettiği", akla gelmez mi? Gelir tabiî ama, anlaşılan düzen böyle, ve de herkes râzı.

18.yy'da Prusya ile pek sınırlı ve dengeli bir ilişki kurulabilmiş. Temsilcilikleri, Yazıcı Sokağında. Önce Moltke'nin, sonra von der Goltz Paşanın burada danışmanlıkları var. Fakat dostluk, sınırlı.

19.yy'ın ikinci yarısında, Almanyada önemli gelişmeler başlar. İngiltere ve Fransaya göre epeyce geç bir zamanda, Kuzey Almanya birliği sağlanmıştır. 1862'de Prusyanın başbakanlığına getirilen Graf von Bismarck, az sonra Birliğin de başbakanı seçilir. 1867'de Abdülaziz, Avrupaya gittiğinde, payitahta gitmez ama, bir jest olarak, Koblenz'i ziyaret eder ve Prusya kralı ile tanışır. Bu cilveler cereyan ederken, İstanbuldaki elçi, öbür sefirlerin saltanatına sahip olamamanın sıkıntısı içindedir: Onlar 4 atlı araba ile ve konvoyla gezinirken, bu, iki at ile gitmek zorundadır, ve de konvoysuz. Binası da, sokak içinde.

Ammaa, 18 Ocak 1871'de Alman İmparatorluğu resmen kurulunca, işler değişir. Prusya Elçisi, uzun bir isimli, sayın "Dük Heinrich von Kaiserlingk Rautenburg", üç ay sonra Dolmabahçe Sarayında Hünkâra, İmparatorluğunun büyükelçisi sıfatı ile güven mektubunu sunar. Bismarck, yine de, başlarda ihtiyatlı gider. Osmanlı ile ilişkilerde gaza hemen basmaz ki, Rusya, İngiltere ve Fransayı huylandırmasın ve onları Avrupa sorunlarında karşısına almasın. Fakat bir İmparatorluğun 19.yy'da "Şark meselesine" bulaşmaması, eşyanın tabiatına aykırıdır. O yüzden çok geçmeden, kudretli Şansölye ünlü "3 B" politikasına hız verir: Berlin-Bosporus-Bağdad! Bu üç istasyonun ortasındaki durakta, ilk yapılacak iş, görkemli bir elçilik Sarayı dikmektir. Çünkü öbür "düvel-i muazzama'nın" böyle sarayları vardır. İngilizlerinki, 30 dönüme yakın bir koruluk, üstelik. Eski Beyoğlu, bugünkü Taksim Meydanında bitiyor. Alman İmparatorluğu, gelişmeleri tahmin edercesine, o zamanki şehir sınırlarının biraz dışına yerleşmeyi kabul eder: Ayazpaşa. Bab-ı Âli'nin, burada, arşını 1 liradan önerdiği mezarlık yeri uygun bulunur. Konu hakkında kısa bir araştırması bulunan, bugünkünden bir önceki Başkonsolos Dr. Felix Gaerte, Alman Dışişleri arşivine dayanarak, mezarlığın satın alındığı bilgisini veriyor. Halbuki Tarabya yazlığı gibi, burasının da hükûmetce armağan edildiği sanılırdı. Dönemin şehremininin oğlu olan Semih Mümtaz ise, tatlı anılarında, "müslüman mezarlığının kefereye verilmesinin" yol açtığı çalkantıları pek güzel anlatır. Ama bizim millet, oldum olası, "Söylenir, ama, söylemez!". Bu sıkıntı da, çabuk aşılır.

Koca Saray, Goebbels adında Köln'lü bir mimarın planları ile, 3 yıl gibi çok kısa bir sürede yapılmış. 1877 güzünde, döşemesi bile bitmiş. Eski doku içinde bunun görünümüne bakıldığında, heybetli bina, topraktan koca bir yanardağ fışkırmış gibi duruyordu. Döşeme için de paradan kaçılmamıştı. Mobilyalar, tablolar, aksesuar için 73.5 milyon altın mark! Bahçeye, duvarlar ve ahırlara da bir 2 milyon altın. Dile kolay. Sarayda, uzun yıllar boyunca çok görkemli davetler, balolar verildi. Çatıda köşelere yerleştirilen (çıkma bölümlerl ile beraber)12 adet bronz'dan kartal, heybetli yapıya daha da bir saygınlık veriyordu. İstanbul halkı, bunlara bakarak, koca yapıya ad koydu: Kuşlu Saray! Bu benzetme, İstanbul geleneğindeydi, yani çok "mâsumâne ve şâirâne" idi. Ama kuşlar, saka kuşu ya da bülbül olmadıklarını, 1914'te dosta-düşmana karşı kanıtlayacaklardı. Nitekim açılışı haber veren "Die Kölnische Zeitung", "Saraya bakarak, Osmanlılar kendileri için bir güvence anlamı çıkarmasınlar. Aşağıda Dolmabahçede hasta bir adam yatarken, bu tepede, Asya'yı fethetmeye hazır, muhteşem bir kartal dikildi" diye yazıyordu.

Ne var ki, dünyada kartallar varsa, tüfekler de olduğundan, anglo-saksonlar karşı önlem aldılar. Tarihte 2 kez, Alman İmparatorluğu dize getirildi. İstanbuldaki Saray da, 2 kez, Alman elinden çıktı. Başkonsolos, etüdünde, 1918'de müttefikler el koyduklarında (ve 1945'te el koydurduklarında) antika eşyanın yağmaya uğradığını da kaydediyor. Hatta ünlü kartallar bile 1945'te yok olmuş! Ne yaparsınız, bu da oyunun gereklerinden biri galiba.

II. Savaş biteli, Saray, artık İstanbulla yakın ve sıcak kültürel ilişkiler içindedir. Alman dostlar yılda bir-iki kez dâvetler verirler, katılırız. Binanın yeni bir onarımı bitti ve 11 Aralık'ta törenle açılışı yapıldı.

Ama ara-sıra davetlere giderken, koca binaya bakarım ve aklıma, tuhaf şeyler de takılır: Bismarck'ın "3 B" politikası artık yok. Fakat, acaba, dünyada değişen eksenlerle, yerini "New-york-İstanbul-Tokyo" üçlüsüne mi bıraktı diye, düşünüyorum? Sayın Dalan'ın böyle bir "formülasyonu" vardı da. Belki de benimkisi, yine sırf bir evham'dır?

Leipziger Illustrierte Zeitung'dan, 1878.

BEYOĞLU'NDA KİTAPÇILAR

Eski İstanbul'da yazma kitap ticaretinin odağı, her bir şeyin satıldığı, Kapalı Çarşıydı. 19. yy.'ın ikinci yarısında Çarşı dışına çıkan esnaf, bugünkü yerlerinde toplanmıştı. Beyoğlu, kitap açısından, daha da "yeni" bir semt oldu. Baştaki bölümlerde belirttiğim gibi, ancak 1700'lerde biraz-biraz şehirleşmeye koyulan bu frenk mahallesi, 1800'lü yılların başlarında bile, elçilikler ve bir miktar da konutlar topluluğundan ibaretti.Sosyal ihtiyaçlardan, yeme-içme ve eğlenceye dayalı olanlara öncelik verilmişti ve Avrupalılar yaşadığı halde, kitap ticareti, uzun süre, bu sahnede yer almamıştı. Değerli bilgiler veren bir yabancı kaynak, Michaud'nun Correspondence d'Orient'ı, (Cilt II, S.243), 1830'da bile, Batı yayınlarını satan tek yerin, Galata'da küçük bir dükkân olduğunu kaydediyor.

Kitabın Beyoğlu'na çıkışı, semtin ekonomik olarak palazlandığı 1840'lar ve 50'leri buldu. Yerleşim zenginliği Tünel'den başlayıp iki yanında uzanarak Taksim meydanı'na eriştiği halde, kitapçılar, bu eksenin sadece Tünel yönünde yoğunlaşmıştı. Bu garip durum, yine tuhaftır ki, benim çocukluğumun geçtiği 1930'larda bile böyleydi. Sanırım bunun da nedeni, elçiliklerin Tünel'e yakın yerlerde gruplaşmasıydı. Bu da bir şeyi gösterir: Demek ki müşteriler, daha çok, elçilik mensuplarıydı.

19.yy. ikinci yarısında, Beyoğlu kitapçıları konusunda bilgiler artar. Daha da olmasın mı? Yerleri, Yüksek Kaldırım üstünden başlayıp, Galatasaray'a bile gelmeden, Suriye Pasajı civarında, bitiyor. Çoğunluğu, musevi. Bir-iki rum kitapçı var. Adlarına gelince, Recaizâde'nin Araba Sevdası romanında bahsettiği (S.222-223) "Vik", Koehler-Biraderler ve, Passage Oriental içinde Lorentz ve Keil ile, Rus Konsolosluğu karşısında S.H Weiss, örnek olarak anılabilir. La Turquie gazetesindeki ilânlarda, (1877 yılı Temmuz) Lorentz ve Keil, Avusturya Genel Kurmayı haritalarının satıldığı ve bir okuma odası da bulunan, "Uluslararası Kitapçı" olarak tanıtılıyor. Askerî harita satışı, ilginç. Okuma odasına gelince, böyle bir "lükse" bugün bile sahip değiliz.

Bizim dönem kitapçıları konusunda da bilgi vereyim. Kendimi bildiğimden beri bu nesneye düşkün olduğum için, önceleri (9-10 yaş) sadece camın dışından, az sonra da, içlerinden, bunları yakinen tanıdım. Yüksek Kaldırım'dan başlayalım. Bu yokuşun alt tarafında, kitapçı yoktu, kasketçiler filan vardı. İnişte sol tarafta ve yaklaşık olarak Kule'nin hizasında, yani aydınlık yerde, kaldırıma bol dergi-plak ve resim de dizen, elden düşme yayınların satıldığı 2 kitapçı vardı. Bir tanesi, kılıksız ve hafif şişman,

ama güleç yüzlü, "Mösyö Kohen". Kendi dükkânından çok, çevredeki esnafta vakit geçirir, tatlı bir adam. Sanatını da içtenlikle, özetler: Kilo ile alıp, tane ile satmak! Hazrete ne oldu ise, dükkânı 1960'larda kapandı. Ondan sonra, az yukarıda, karşı sırada, Bay Nomidis var. Bu, Kohen gibi değil, ciddî, hatta bilgili bir kişi. Amatör bir arkeolog. Kendisinden sonra kızı uzun yıllar bu bilgi ocağını sürdürdü. Şimdi aynı yerde dostlarımız bir kaç aydın, Uğur Güracar, işe daha bir uzmanlık katarak, "müesseseyi" yaşatıyorlar. Gerçi "cam masaya ayak olmak üzere, eşit boyda ve güzel ciltli kitaplar" cinsinden çok özel istekler bile alıyor iseler de, gene de zevkli bir işleri var.

Aynı sırada yine çıkışta solda, Bayan Venetia, (arnavut-rum), 30 yıl kadar, yerden tavana kitap yığılı bir ocağı yaşattı. Her konu bulunurdu. Birkaç yıl önce, kapandı gitti.Onun karşısında, sağda, artık Tünel Meydanı sayılır, Bay Lefteris Bert, daha çok oryantalizm konulu antika kitaplar satan küçük bir dükkân işletti. Onun maroken ciltleri, takımları, bugün açık arttırmaya bile düşmüyor. 6 Eylûl vahşetinden bu kültür ocağı da nasibini alınca, sahibi terk-i diyar etti. Şimdi, bir büfe. Onun yanında dostumuz Bay Karon, almanca uzmanıydı.Sanırım 40 yıl işini sürdürebildi. Onun da yeri, şimdi bir sandviçci. Kohen hemşireler, önce İsveç Sefareti önünde (sonradan yıktırılan) dükkânlarındaydılar. daha sonra Tünel Pasajı'na geçtiler. Mağazaları, güncel yayınlar kadar, gravür de satan, yabancıların rağbet ettiği seçkin bir yerdi.

Rus Sefareti karşısında eski bir kitapçı vardı. 1940'lara kadar direndi. Sonra Falih Erksan'ın dükkânı, Hachette yanında Frenç-Amerikan kitapçısının (Yunan uyruklu musevî Samuhas), biraz damga pulu filan işlerine adı karıştı idi. Türk-Alman Kitabevi (Bay Mühlbauer), hâlâ duruyor. Sonra Galatasaray Postahanesi yanında dostum Necdet Sander'in iki katlı yeri konuya bir zenginlik getirdi. Taksim'e çıkarken solda, eski Moskova Pastahanesinin yerinde 1943'de açılan GEN kitap Sarayı ise, bugün düşünülemez bir zenginlikti. Dostum Ziyad Ebüzziya'nın, Vecihi Görk ve O.Nebioğlu ile gerçekleştirdiği 7 vitrine sahip bu mûcize, 20 yıl yaşadı. 1959 devallüasyonunda dolar 2.70'den 9 liraya çıkınca, 1963'te battı.

Görüldüğü gibi, hayatımızda kitabın yerini, bir süre sonra, meyve suları, sandviç ve giysiler almıştı. Şimdilerde de, TV.

Bunun böyle olacağı, 20 yıl kadar önce, merhum Necdet Sander'in naklettiği deneyimler ile belli olmuştu: 1970'lerde, ömründe ilk kez bir kitapçıya girdiği belli olan dilber hanımlar arz-ı endam etmeye başlamış. İstekleri, "toplam bir-iki metre tutacak uzunlukta, sırtı beyaz ciltli" eserler. Necdet Bey, ilk seferinde hayret etmiş. Sonra anlamış: Dekoratörleri, lâke takımlar için, şu kadar uzunlukta, fon istiyor. Dostumuz da sonunda duruma uymuştu: Allah ne verdiyse, her konudan, beyaz ciltli eserleri buluyor, gömleklerinden soyarak, boy hizası ile yan-yana getirip satıyordu. Tabiî, çift fiyatına.

Kitabın metre ile satılması, kimileri için, hem komik, hem acı bir durumdur. Ama kimileri de, bakarsınız, bunu çağdaş ve teknolojik bir gelişme sayabilir?

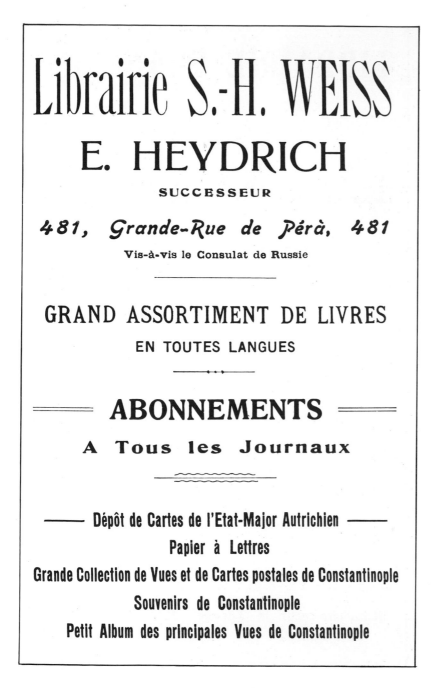

KİTAPÇI MI DEDİNİZ?
(YA DA YÜKSEK KALDIRIM)

Bu yazımla, bu yeni kitabımın sonunda, okuyucularımla, Beyoğlu'nun da sonuna ineyim: Yüksek Kaldırım yokuşu. Burada iki adrese uğrayalım: İki kitapçı. Ne yapayım? Ömrüm bu nesne ile, kitapla haşır-neşir geçti, bu kitap ta onlarla bitsin. Aşağıdaki yazıyı, 5 yıl önce yazmıştım ve yine Cumhuriyette, ama ikinci sayfada çıkmıştı. (9/3/1985). Olay ve yeri Beyoğlu olduğuna göre, onu da bu kitaba alıyor ve sonuna ekliyorum. Yüksek Kaldırım da Beyoğlu'nun sonudur ya!

"Dostum Prof. Selçuk Erez, ilginç yazılarından birinde, emeklilik hazırlıklarına geçen yaşlı bir bayan kitapçıya, okuryazar takımının teşekkür duygularını dile getirmekteydi.

Yazıyı okurken, gözümde, 1950'li yıllarım canlandı. Biz Asmalımescit'teki büromuzdayken, Paris'in kenar semtlerini andıran binamızın alt katı, bu kitapçı madamın kocası Mösyö Apostol'un matbaasıydı. Basılacak bir kâğıt olduğunda, bizim balkondan ona aşağıya atar, ya da önemli bir şeyse, sepetle sallandırırdık. O kendi balkonundan bunu karşılar ve süresi sonunda, bir beyzade bebeğini, ya da bir kahramanın cenazesinde madalya kutusunu taşır gibi, büyük bir özenle bastığı kâğıtları getirirdi.

Bu hukukumuzun bir sonucu olarak da, madamın kitapçı dükkânına gittiğimde, özel bir itibarım olurdu. O sıralar Hukuk Fakültesinde okuyordum. Biz bir avuç heveslilye, eski eğitimin yerleştirdiği yanlış bir alışkanlığı sürdürerek, ders kitapları dışında, yabancı eserleri aramak, merakımdı. Kitapçı madam, bana Türkiye'de gün ışığı görmemiş bu İsviçre ve Alman kaynaklarını bulur, indirilmiş fiyatlarla verir ve Beyoğlu akşamlarında, ilk ışıklar değişik vitrinleri aydınlatmağa başlar ve insanlar yerlerine yetişmek için acele ederlerken, Avrupa işi özenli ciltlerle kaplı, iyi kâğıtlara basılmış bu ağır kitapları koltuğuna sıkıştıran ve kalabalığa karışan genç hukuk öğrencisinin sevincini paylaşarak, dükkânının çıngıraklı kapısını kapatır ve perdesini indirirdi.

Akıp giden bu 1950'li yılların havası, Prof. Erez'in yazısı ile, gözümün önünden bir film gibi geçti. O çevreyi tekrar görmek ve kısa bir süre de olsa, yaşamak istedim. Kitapçı madam hâlâ dükkânındaydı, ama epeyce yaşlanmıştı. Kitap dağları arasında kaybolmuş gibiydi. Kendisine bundan sonraki yaşamında sağlıklar dileyerek, ömrümün bir kesitini ellerimle kapamanın burukluğu içinde, ayrıldım.

Bir iki gün sonra aklıma geldi: Aynı yokuşta, aşağı doğru, bir kitapçı daha vardı. Garip bir benzerlik, o da bir hanımdı, ve bütün ömrünü, kitapçılıkla geçirmişti. Ayrıca babası da kitapçıydı. Hem kitapçı, hem bilgin derecesinde, bir arkeolog. Aynı sırada bir dükkânda, tipik ahşap masasında gözlükleri arkasından herkesi süzerek, son günlerine kadar burada meraklılarına kitap satmış, bilgi vermiş ve ahbapları ile sohbetler etmişti. Sonra yine uzun yıllar kızı, babasının işini devam ettirmişti. Doğrusunu söylemek gerekirse hanım, üst baştaki meslektaşı madam kadar çeşit bulunduramasa da, ondan biraz daha güleryüzlü de sayılabilirdi.

Bu cumartesi sabahı gezintimde, epeyce yaşlanmış bu madamın da gönlünü almak istedim. Ama garip şey, elimle koymuş gibi bildiğim bu yeri bulamadım. Dükkân belli ki kapanmıştı.

Komşularına ve çevreye sormağa başladım. Bu defa daha garip bir şey, kimse kendisini tanımıyordu. Evet, hiç kimse hem onu bilemiyor, hem (daha fenası) burada bir kitapçı dükkânı bulunduğundan haberli bulunmuyordu.

Beyoğlu'nun "yeni sakinleri" olan bu vatandaşlarımızdan umudumu kesip, bu kez, eskilere yöneldim. İçlerinden 30-40 yıldır burada bulunanlar vardı. Fakat sonuç, hepsinde, başarısızdı. Yüzlerini bir hayret ifadesi alıyor ve bana, çeşitli şivelerle de olsa, aynı soruyla karşılık veriyorlardı: "Kitapçı mı dediniz?"

İçlerinden birkaçı, bilgili çıktı. Ama bana, daha yukarıdaki kitapçı madamı tarif etti. Yanı başlarındaki asıl sorduğum kendi komşularını bilemiyorlar, tanımıyorlardı.

Çok geçmedi, durum daha da garipleşti: Deminden beri dolanıp durduğum yerin az ötesinde, aradığım dükkânı bulmayayım mı? El değiştirmiş, hatta tuhafı, eski köhne görünümü bir anda gitmiş, içi halı kaplı, ahşap bir masaya dikine kitapları istifli, eni konu alımlı bir yer olmuş. Paris'in St.Michel semtinin küçük ve tipik kitapçılarına benziyor.

Bu güzeldi de, karşılaştığımız ortamı açıklamaya, daha doğrusu, bir dramı hafifletmeye yetmiyordu: Çünkü çevre, tarihe karışmış bir baba kızı hatırlamayışı şöyle dursun, daha dün açılmış bir kitapçıyı da bilememiş oluyordu.

O zaman acı ile, bir gerçeği farkettim. Yokuşu düşüne düşüne çıkarken anlıyordum ki, yaşlı arkeolog da, onun, saygılı kızı da, meğer burada kendi başlarına, çevreden ne kadar kopuk bir hayat yaşamışlar. Yanlarında, her sabah dükkânlarını açan, gün boyu para alan, para veren, işlerine bakan insanlar, kendilerinin hiç mi hiç farkında olmamışlar. Bu insanların gözlerinin etrafını demek ki bir cins sis tabakası kaplamış. Sadece kendileri için gerekli olan şeyleri görmüşler de, onun dışında kalan her varlık, yoğun bir beyazlığın içinde kaybolmuş.

Bir eski zaman Londra'sının kalın ve ağır sisleri içerisinde, en yakın planların gözüküp, ötelerinin belirsizleşmesi gibi herkes, elinin dokunabildiği bir dünya ile yetinmiş, daha uzağı ile ilgilenmemiş.

Arkeolog ve mahçup gülüşlü kızı bu Beyoğlu yokuşunda hiç yaşamamış gibi, birbiri ardınca belki elli yılı, altmış yılı, bir hayal gibi, gölgeler halinde geri planda geçirdikten sonra, bütün bütüne yitip gitmişler. Yeni dükkânı işleten aydınlık gençler de, sislerin içerisinde o figürlerin yerini almaktan başka bir şey yapmış olmuyorlar.

Eğri büğrü kaldırımlı, çamurlu yokuşu çıkarken, anladığım asıl büyük gerçek de, insanların sade bu iki baba kızı ve yeni gençleri değil, onların sattıkları mal olan kitapları da, hiç görmemiş, tanımamış olduklarıydı. Onun için kendi gezegenlerinin ötesine ait bir şeyle karşılaşmış olan kişilerin saf hayreti ile soruyorlardı: Kitapçı mı dediniz?

Ben de, kendi ömrümüzü yine film gibi gözlerimden geçirerek, kendimle konuşuyordum: Evet, biz, hep kitapçı demiştik, kitap demiştik, okumak ve yazmak demiştik. Çünkü onların ilgilerinin konusu olan bütün şeyler nelerse, bu çamurlu yokuşta bile, alınıp satılmakta olan her şeyin, eskiden plakların, gramofonların, kasketler ve fötrlerin, şimdilerde kontrplakların, metal kupaların, kap kacağın, daha çeşitlileri, daha iyileri, daha renklileri özellikle de, daha doğru olanları, bu birbiri üstüne kapanan, sıra sıra yazılı basılı, adına kitap denilen nesnelerde bulunurdu. Onsuz hiçbir yere varılamıyordu. Dünya bunu böyle bilmiş ve bellemiş, onun için de, o malların hepsini bize satacak, bizi kendilerine ömür boyu borçlandıracak, ve sonra alıp sürükleyecek duruma geçmişti.

O cumartesi sabahım, bu düşüncelerle geçti. Sonraki günlerimde de, aklımı yakan bu düşünceler, zihnimin boşaldığı her an, gelip gelip gitti. Ama hepsini kâğıda, bir kaç cumartesi sonrasında, bu akşam televizyonda Grimm kardeşlerin yaşamına ait filmi gördükten sonra döküyorum.

O küçümencik tarihi kasabanın, soylu taş bir yapısının içinde, Bay Stossel'in açtığı ve kimbilir kaç kuşak boyunca, oğullarının sürdürdüğü, kapıları ve kepenkleri cilalı tahtadan kitapçı mağazasını, içerde duvarlar boyunca yükselen raflarını baştan başa dolduran, boy boy kitaplar dünyasını, uzun uzun seyrettikten sonra.

Yarı karanlık mekânda, cilalı domuz derisinden ciltleri, sırtları kırmızı yeşil etiketleri, yaldızla süslü sırtları ile, anlayanlarına ve bilenlerine, blok altın kalıplar ya da kesme, yakut ve zümrüt taşlar gibi görünen kitaplarla, ve onlarla hiç değilse 3-4 yüzyıldır, haşır neşir, onlarla aydınlanmış, onlarla yükselmiş insanlarla, bir kez daha, iki saatliğine beraber olduktan sonra, oturup kâğıda döktüm, bu duyguları.

ABANOZ SOKAĞI

Adına Beyoğlu denilen eski zaman güzelinin omuzlarına dökülen lepiska saçlarının ve mavi gözlerinin anlatımından sonra, sıra geldi, belinden aşağısına. Benim gibi edepli bir yazarın bunu nasıl yazacağına okurların çok şaşacağını biliyorum. Ama bu işte de, inanın günahım yok.

Geçenlerde anılar kitabım çıktı. Onun hakkında röportaj yapmak üzere, gençten bir gazeteci geldi. Aslında tam yaşını kestiremiyorum, çünkü gür bir kızıl sakal, yüzünün yarısından çoğunu kaplıyor, sadece cin gibi gözleri deler gibi bakıyor. Her neyse, bu arkadaş, anılarım içerisinden özellikle ilgisini çeken en sivri noktaları seçmiş, bana onları sordu. En başta da bu Beyoğlu Sokağı. 1939 yılında ablamların onun az ötesinde ev tuttuğunu, bu tehlikeli yakınlık dolayısıyla, ancak öbür yöne doğru gitmek koşulu ile, sokağa çıkma izni alabildiğimi yazmışım. O da bunu, bu kadar söz dinlerliğin çok ilginç bir davranış olup olmadığını soruyor. Allah-Allah, o zaman 9 yaşında olduğuma göre, bu işe kaç yaşında başlamam gerektiğini ben ona sorarak, tuzağı atlattım.

Ama o gittikten sonra, kent-yaşam sayfası yazılarıma, anlaşılan burayı da katmamın artık "vâcip olduğunu" anladım. Anlatayım, efendim, anlatayım:

Tam kuruluş tarihini incelemedim. Ama herhalde saltanat devirlerinde olamaz. (O zaman bu işler gizli kapaklı yapılırmış!). Sosyal konulara el atan Cumhuriyet başlarında düzene konulmuş olmalı. Ben oraya komşu geldiğimde, yıl 1939'du. Nüfus o dönemlerde çok az olduğu halde, burası özellikle hafta sonlarında epeyce kalabalık olurdu. İki ucunda güvenlik işleri için, iki nöbetçi kulübesi. Dizili evlerin hiç bir özelliği yoktu, hatta bir çoğu iyice çirkin yapılardı. Özellikle de, cart mavi gibi o yaşlarımda bile tepkimi çeken renklerle boyalı, yarısı buzlu camlı, uyduruk demir kapıları.

İçindeki kadın mevcudu, yapılardan daha beter! Çoğu harabe haline gelmiş, gençleri bile hayatın fazlaca örselediği, zavallı tiplerdi. En soğuk günlerde mayolarla müşteri bekleyen bu "sermâye"ler, her yaşımda, en ufak bir cinsel ilgi şöyle dursun, bende sadece acıma ve isyan duyguları uyandırdı.

İlkokul dönemimde, arka sıralarda, yaşları ileri çocuklar otururdu. Bağlık-bostanlık Yıldız'da, çevredeki bostancı ailelerden gelenler. Bunlar biz küçüklere hava atmak için bol küfürlü konuşurlar ve sık-sık ta bu sokaktan, (eminim görmeden), söz ederlerdi. Halbuki Abanoz'u ben onlardan çok daha iyi tanıyordum!

Ergenlik çağımda öğrendim ki, burası orta sınıfın bir kurumu idi. Daha üstü, Sıraselviler'deki lüks evlere devam ediyor, en alt tabaka ise, Galata'nın Ziba'sını kullanıyordu. Lise yıllarımda, savaş bitmiş ve yeni bir dönem açılmıştı. Ünlü Missouri zırhlısının gelişi sırasında vali Dr. Kırdar "ecânibe karşı mahcup olmamak için" sağa-sola badana çektirirken, burasının da yıkanıp paklandığına, en büyük bir hayreti -ve acıyı- duyarak tanık oldum. Denizcilerin şehirde kaldığı günler içerisinde Sokağa giden arkadaşlarımız, ertesi günü inanılmaz gözlemlerini nakledererek, ortalığı birbirine katıyorlardı. Doğruysa, askerlerin bir kısmı, kadınlara bakmayıp, gemideki alışkanlıklarına devam ederlermiş. Bir arkadaşımız da, -sonraları Dışişleri Bakanına bir ara damat olan ve çok erken vefat eden değerli bir çocuk- o hengâme içinde, evdeki kendi usulünü uygulamış. Olayları bu yaşımda size ancak bu kadar "ifade etmiş olayım!".

Koca lise, bu lâkırdılarla çalkalanıp duruyordu. Ne yaparsınız, o tarihlerde toplum henüz futbol hastalığına yakasını kaptırmamış olduğu için, okullar bir hafta boyunca sadece Şeytanı, Ahmedi, Mehmedi konuşmaz, böylesine, çeşitli ve renkli bahislere dalardı.

Aklım erer dönemlere geldiğimde, fransızların soylu yazarı ve devlet adamı Lamartine'i okurken, "Doğuya Yolculuk" eserinde bir pasaj, beni iyice düşündürmüştü. Nur-u Osmaniye Camiinin yanı başında, -dinin de resmen kabul ettiği bir kurum olan- insan alım-satımı pazarını gezen içli şair, "Biz bu pis ticareti çoktan yasakladık. Şark ise, devam ediyor. Yarın onlar da kaldıracaklardır. Ama bizim Batı olarak bugün sürdürdüğümüz daha nice işten de, yine yarın, yüzümüz kızaracak" diyordu. Tarihte her zaman yazılmamış bu ateşten satırlar, bana Abanoz Sokağı'nı hatırlatmıştı. Mavi kapılar önünde soğuktan titreşen, mayolu kadınları. Ülkenin, parası olmayan genç kızlarının, etlerini dakika hesabı ile kiralamaları olayını, devletin organize etmesindeki acılığı.

1950'lerde şehir kalabalıklaşırken, dar yollar geniş amerikan otomobillerine yetmeyince, Taksim'den aşağıya inen trafiğin bu sokağa verilmesi gibi, akıl almaz bir işe de tanık olduk. Namusu ve edebi kimseye bırakmayan toplumumuz, bunu da hazmetti. Dolmuş otomobillerinde çoluk-çocuk, çevreyi hayretle seyrediyor ve "bu amcaların niye bekleştiğini" yanındaki büyüklerine soruyordu. "Ül'ül-emre itaat" duygusunun ne denli genlerimize işlemiş olduğunun, çarpıcı bir kanıtıydı, durum. 1877 Konferansına gelen Lord Salisbury'nin, şehirdeki gözlemleri sonucunda yaptığı özete de aynen uyuyordu: "Daha baştan, her şeye razı bu halk!" Abanoz Sokağı'nı sessizce seyredip geçen bu trafiğin, çok sonraları, başka formlar altında da karşıma çıkacağını, o zaman nereden bilebilirdim? Bülent Ecevit'in, mücâdeleden bıktığı bir an, halka "Tribünden seyretmeyi bırakın, alana inin!" diye seslenişi ve buna kitlelerin değil, şeref tribünündeki apoletlilerin "icâbet etmesi" gibi. Ya da 1982 Anayasa oylaması emri çıkınca, sabahın köründe oy atmaya koşan kalabalıklar gibi...

1970'ler başı olsa gerek, Batı'nın baskısı ile, Vali Niyazi Akı, Sokağı kapattı. Tabiî, bu daha beter oldu. Evler şehre yayıldı ve sağlık kontrolü, kalktığı ile kaldı.

Dalan döneminde Beyoğlu'na operasyonlar uygulanırken, bu çevrenin de ressamlar semti yapılacağını okumuştuk.

Bana kalsa Paris özentisi o işin, yeri, burası değil. Daha anlamlı bir davranış, Abanoz'u bir kız okulları dizisi yapmaktır. Eskiden, "bir okul, bir hapishane kapatır" denirdi.

Onun kadar başka bir doğru da, iyi bir kız okulunun bir genelevi yok etmesi olabilir.

Münir Nurettin

MÜNİR NURETTİN'E MEKTUP, YA DA SARAY SİNEMASI

Beni tanımazsınız, aziz Münir Nurettin Bey. Tanışabileceğimiz zaman parçasına eriştiğimizde, yani ömrümüz içinde 1970'li yılları yaşadığımızda, hayat, yazık ki sizin fizik varlığınızı hayli etkilemiş ve birçok şeyi alıp götürmüş bulunuyordu.

Ama benim sizi tanıyışım, ondan çok öncelere gider. 30'lu yıllarda, çocuktum. O zaman siz de galiba sanat yaşamınızın başlangıç yıllarındaydınız. İstanbul, 40'lara geldiğinde ve iki numaralı büyük savaşın alevleri vatanın sınırlarını sardığında, artık adınız, kendini bilen herkesin kalbinde yerini tutmuş ve yurdu sarmıştı.

O devirde ben, "yeni yetme" sularındaydım. Oturduğumuz Yıldız'ın, bir köyü andıran sakin, mutlu, papatyalık çerçevesinden ara sıra çıkabilir duruma gelmiştim. Savaşın sıkıntılı, yokluklu, biraz karamsar havasını yaşayan Beyoğlu'nda Büyük Cadde, hâlâ görkemli çağlarının soyluluğunu sürdürebilmekte idi. Kapısı yelpaze buzlu camlı giriş saçağı ile Tokatlıyan Oteli, vitrinlerinde üzeri menekşeli kadife kutular, ya da yakası "rönar" kürklü hanım mankenler sergileyen mağazalar, bende yarım saatte Avrupa'nın ortasında bir kente inmişim izlenimi uyandırırdı. Bu dizi dizi oteller, temiz pastacılar ve şık mağazalar arasında genişçe cephesiyle uzanan Saray Sineması'nda ise, yılda bir iki kez, mevsim konseriniz dolayısı ile adınız büyük harflerle yazılmış olur, akşamları onun çevresini pırıl pırıl ampuller süslerdi. Durgun, yoksul ve kaygılı geçen 40'lı yıllarda, Münir Nurettin Konseri, bütün İstanbul için bir dalgalanma ve heyecan konusu demekti.

Parasızlıktan mı, çekingenlikten mi, (bizim gençliğimizde yazık ki gençler her yere gidebilir anlayışı yoktu) ben bu sayısı epeyce tutan konserlerinizden, sadece bir tanesinde bulunabilmiştim.

Bir konserinizi dinleyebilmiştim, ama ben onu ömrümce unutamadım ki, aziz Münir Bey! Sesinizi radyoda her duyuşumda, içimde, hep o 46 mı, 47 mi, yılların birinin bahar akşamında, Saray Sineması'nın yaşadığı olağanüstü olayın sesleri ve havası canlanıp durdu.

Çocukluğun ve gençliğin hatıralarının herkes için tatlı olmasa bile, duygusal bir konu olmasından mıydı, bu özlem? Sanmıyorum.

O gece yanıbaşımda oturan yaşlı beyin bana fısıldadığı gibi, sizin konserleriniz her zaman bir sanat olayıydı.

Benim bulunduğum akşam da, önce bütün salonun saygılı bir bekleyiş içinde olduğunu görüyordum.

Sonra perde açıldı ve aydınlanan sahnede ölçülü bir frak içinde, ışık vurmuş temiz alnınız ve yakışıklı boyunuz bosunuzla ve hem duygulu, hem bilgili olan saz takımınızla yer aldınız. Herkes gönülden gelen bir coşkuyla bu tabloyu alkışlıyordu.

Sonra birbiri ardından bestelerle, durmuş-oturmuş, ama içli ve özlü, eski ve zengin bir dünyanın kapılarını açmaya başladınız. Bu belirli kalıplar içersinde düşünülmüş ezgilere, siz kendi varlığınızdan kattığınız iki özelliğinizle, olağanüstü bir canlılık kazandırmaktaydınız: Tarihte her kula her zaman verilmemiş olan, bir pınar temizliğindeki yüce sesiniz ve bu eski müziğe duyduğunuz som bir aşkınız.

Bu coşku ile perdeden perdeye geçiyor, bir ırmak gibi çağlıyor ve herkesi kendinizle beraber yüceltiyordunuz. Birçok kişinin çok eski bir âdete uyarak ve coşkuya kapılarak, "nur ol!" diye haykırmak istediğini, fakat size duydukları büyük saygı ile kendilerini tuttuklarını seziyordum.

Yine birçok kişinin, başlarını koltuk arkalarına dayayarak, kendilerinden geçtiklerini ve gözlerinden yüzlerine yaşların süzülmekte olduğunu ise görüyordum.

Ben de herkesle beraber, oturduğumuz koltuktan yükselmiş, daha üst bir düzeyde, ölümsüz bir ortam içinde yüzüyor, duyuyordum kendimi. Bir bahar akşamında, Saray Sineması'nın durgun ve loş salonu içinde, bütün insanlar ortak bir tutkuda birleşerek, işte, duygular içerisinde eriyorlardı.

Neden ağlıyordu o insanlar, Münir Bey, neden?

Ürkek ve saygılı, ilk kez bu kadar yakından yüz yüze geldiği bir melodi dünyasının zenginliği ile şaşırmış olan ben anlıyordum ki, önce sizin, müziğe (bu demek ki, bir beceriye, maddi dünyadan kopuk, karşılıksız bir sevgiye ve ölümsüz duygulara) vermekte olduğunuz öneme saygı duyuyor ve onda birleşiyorlardı.

Sonra hançerinizden hiçbir zorlama olmadan çıkmakta olan pürüzsüz bir sesin, değişik ve olağan dışı kalitesi onları büyülüyordu. Nefes almadan ve göğüs geçirmeden, rahatlıkla tiz perdelere çıkabilen ve gazellere geçebilen bu sesin güçlülüğü dinleyicilerinize anlatıyordu ki, kendi dalında her zaman dünyaya gelmeyen, ayrıcalıklı yaradılışlardan biri karşısındaydılar. Evrensel Batı müziğinde yetişseydi, bütün dünyanın benimseyeceği bir opera sanatçısı olurdu, sahnedeki kişi. Bu olay onları titretiyor ve ruhlarını ürpertiyordu. Sonra içinizdeki ateşi bölüşmek ve salona yayabilmek için gösterdiğiniz çaba ve herkesi mutlu kılabilmek için kendinizi yormanız, dinleyenlerinizi inceltiyor, sevgi, üzüntü ve borçluluk duyguları uyandırıyor ve sizinle bütünleştiriyordu.

Bu coşmuş ve erimiş duygular içerisinde, en neşeli bir parçayı seslendirdiğiniz ve "Âşıka Bağdat sorulmaz" diyerek üst perdelerde şakıdığınız zaman bile, salondaki insanlar, sessizce ağlıyordu Münir Bey.

Sonra zamanlar akıp gitti, garip ve çalkantılı kalabalık dönemler geldi. Hikâyenin "önce ekmekler bozuldu" dediği gibi, müzikte de, önce sesler cüceleşti. Pınar gibi arı, duru ve ırmak gibi coşkun, eski hafız geleneğindeki ses zenginliği ortadan çekildi. Onu, sahneye çıkan erkeklerin tuhaflaşması ve giysilerin maskaralaşması izledi. Sizin saygılı, içli, sözden ve nağmeden, şiirden anlar seyircilerinizin de yerini, yapış yapış yaz gecelerinde göbeğine kadar açık gömlekli, baygın bakışlı, kafası dumanlı, pantolon cebi tomarla paralı müşteriler aldı.

Cebi doluların bir başka kesimi de, ne bir bestesi ve kuralı, ne de söz tutarlılığı olan, (akla düşen lakırdıların sıralanmasından oluşmuş) bir "aracman" dalgasına kaptırdı kendisini.

Ülkede ekonomide, kültürde, sosyal yaşamda olup bitenlerin, sahneye ve önüne yansımasından başka bir şey değildi, müzikte olanlar da. Ama herkesi etkileyen bir alan olarak, geleneksel saray ve İstanbul halk müziğinde de olan buydu.

Her kuşağın, hep aynı şarkıları söylemesi ve aynı sesleri dinlemesi beklenemez. Bu böyledir, ama sonrakilerin öncekilerden daha iyi, daha güzel, güçlü ve evrensel olmaları gerekmez mi?

Eskiyi aşması şöyle dursun, nereden çıktığı anlaşılmayan, yoz mu yoz, bozuk mu bozuk, ağlamaklı bir müzik türü de heryeri kapladı. Şimdilerde münibüslerde yasaklandı ama, her plak dükkânından çevreye ve yerden biter gibi çoğalan genç kulaklara (tıpkı sağlıksız yeni yerleşmelerin yaydığı sarılık hastalığı türleri gibi) çarpık nağmelerini bulaştırıp duruyor.

Bir garip şey daha görülüyor: Eskiden insanlar, sizin en neşeli nağmelerinizle içlenip ağlarken, şimdikiler hiç ağlamıyor Münir Bey? Hem de yeni yoz müzik, karamsar mı karamsar, yaşama karşı kötümser mi kötümser bir felsefeyi işleyip durduğu halde, insanların göz pınarları kupkuru, bakışları donuk ve zihinleri dalgın. Konuşuyorsunuz, sizi dinlemiyorlar gibi. Zorlaşan yaşam kavgasının bir görüntüsü mü bu? Birazı öyle. Ama inanın bana, hepsi öyle de değil. Stad arenalarında, yeni meyhane tipi, "ayakta bira" salonlarında, yüz binlerin dökedurduğu paraların hesabı yok.

Dünyaya ve yaşama baktığımız açının ekseni değişti Münir Bey. İşe oradan başlamalı. Tabiata, okumaya, sanata ve ölümsüz duygulara dönük insanlar gerek bize.

Bu tutkulara bağlarını koparmayan, bilmediğiniz dostlarınız, şimdilerde yeni bir çevre ördüler kendilerine: O kadar sevdiğiniz Çamlıca Tepesi, eski ve soylu ölçüler içinde süslenip bezendi. Yüzü deste güllü bir geçmiş zaman kahvehanesi de, sizin ve öbür eskilerin nağmelerini çalıp duruyor. Onlarla duygulanan kimseler, akşamları içlenip bahçenin ucuna doğru yürüyor ve gurup vakti, karşılarda kızaran ve solan renklere, dökülüp duran güllere bakıp bakıp gözleri nemleniyor. Sade güneşin batışı değil, içimizi yakan Aziz üstad! Nice soylu şeyin de gurub edişini seyretmek, adamı bitiriyor.

Ama şu da var ki, Çamlıca'dan sade gurup seyredilmez; güneş de oranın arkasından doğar.

Siz de Çamlıca'ya gelin Münir Bey. Kimi akşamlar olsun gelin. Sanatın, soyluluğun, güzelliğin simgesi olarak. O kadar gereklisiniz ki!.

Münir Nurettin konserleri yıllarında Saray Sineması. Sağda Luxembourg çay ve bilardo salonu.

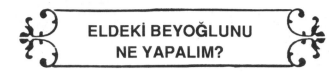

ELDEKİ BEYOĞLUNU NE YAPALIM?

Bir etki ile, bir tepkinin ortasını bulmak için, oturup bu dizi yazıları yazmıştım. Bu kitap ile, yazıları resimlemiş ve hepsini bir eserde toplamış oldum.

Etki, 3-5 yıl önce başlatılan bir "Beyoğlu özentiliği"dir. Tuhafı da, eskiyi hiç bilmeyen gençlerde bile görülen bir snobizm. Eski bir isim de, bu imâr akımında hortlatıldı: Pera. Tepki, buna karşı bir anti-tez olarak ortaya çıktı: "Yok canım. Beyoğlu dediğin karışık bir batakhane idi. Bu kadar abartmanın ve züppelik etmenin âlemi yok!"

Birinci akım, "Beyoğlu özlemi", şimdilerde ne kadar yapmacık düşmekte ise, tepki tezi de o kadar, tarihsel gerçeklerden uzaktı.

Tarihte, tek değil, bir kaç aşamadan geçmiş bir Beyoğlu yerleşimi vardı ve bunların içinde 1860'lardan sonrası ile, 1950 arası, 100 yıla yakın bir zaman parçası, en parlak bir dönemdi.

Ama bu dönem, belli koşulların ve birikimlerin, bir meyvesi idi. Çok seçkindi, ama herşeyden önce "gayri millî" idi. Karışıktı, kozmopolitti ve ülkeyi kemiren bir ekonomik temele dayanıyordu.

O yüzden, temel şartları değiştiği için, ne tekrar ve aynen doğması imkânı vardır, ne de böyle bir şeyi özlemek doğrudur.

"Beyoğlu imâr edilse, korunsa ve kurtarılsa, ne olacak? Burayı Beyoğlu yapan binaları değil, insanları idi. Onlar da yok. Bırakın yıkılsın." diyen, tek yanlı ve yüzlek düşünceliler de var.

Onun için, bunların hepsine birden, yâni Pera meraklılarına ve özentilerine de, tepki olarak Beyoğluna haraket edenlere de, "insanlar yok, binalar da gitsin" diyen sorumsuz tez sahiplerine de, toptan bir cevap vermek ve bir sentez üretmek gerekiyor.

Beyoğlunun 30 yıllık bir zaman parçasına ait kendi yaşantımdan anılarımı içeren bu kitabımın sonunda, "eldeki Beyoğlu malzemesini ne yapmamız gerektiği" konusunda da, bir final-tez geliştirmeyi, zorunlu buluyorum:

• Önce, 100 yıl kadar parlamış bir Beyoğlunu tekrar canlandırmak, mümkün de değildir, caiz de olmamalıdır. O, tarihten silinecek bir sahne idi. Belli artistlerden ve belli mobilyalardan oluşuyordu. O oyun bitti. Onu unutalım. Bilelim, tanıyalım, ama unutalım. Biz ne Frenk'iz ne Lövanten'iz.

• Sonra, bir şehrin insanları gitti diye, şehri de yok etmek, medenîlik değildir. Hayat yürür, nesiller ürer ve değişir, yeni bir içerik ve yön kazanır. Ama medenîleşen yeniler, eski çerçeveleri koruyup kullanabilir. Beyoğlu o yüzden, medeniyet misyonu ile, hem korunmalı, hem de, korunabilmesi için, kullanılmalıdır.

• Kullanmanın, bu malzemeye en uygun çeşidi, birbirini tamamlayan iki mekanizmadır: Kültür ve turizm.

Beyoğlunun taş binaları, trafiğe ve arsa kazancı, fazla kat kazancı hırsına kurban edilmeyip kullanılsalar, iki alan, onları altın getirir hale sokabilir: Dış turizm ve ona (da) hizmet eden, kültür fonksiyonları.

Kârgir yapıldıkları için dayanıklı olan ve onarımları ahşaptan ucuz olan bu binalar, batıdaki bir çok örnekleri ve benim Soğukçeşme Sokağında uyguladığım gibi, birbiri ile bağlantılı olarak, pansiyon zincirleri haline getirilebilirler.

İstanbul turizminde buna ihtiyaç var. Türkiye turizminde bu çözüm, yeni baştan inşaata ve yatırımlara göre, daha ekonomik.

Türk toplumu da, artık bir kıvama ulaştı. Pek çok genç aile, böyle bağımsız ve medenî bir yaşamın ve çalışma türünün hasreti içinde. Devletçe buna önayak olunsa, pek çok genç çift, bu pansiyonları işletebilir.

O zaman, bunların müşteri kitlesi, eski Pera'lı nüfusun dokusunda, aynı paralelde ve frenklerle-lövantenlerin bir uzantısı halinde olur. Az farklarla, eski seçkin atmosfer ve ortam, tekrar doğar.

Dokuyu canlı tutacak genç işletmeciler de, aydın türkler olacağı için, tarihte ilginç (ve bu kez barışçı) bir sentez de gerçekleşmiş olur. Eski Parislilerin, Marsilyalıların, Venediklilerin binalarında, bu defa konuk olarak, yine o kentlerden gelenlerin çocukları oturur ve türk çocukları, onları misafir eder!

Bu formül, hem en iyisi, hem de en olabilecek olanı.

Yeter ki, otomobilleri daha hızlı akıtabilmek, ya da 40-50 zengin kişinin servetine servet katabilmek amacı ile, her dönemde bir yapı grubunu ortadan kaldırmak ve arkasına yüksek kat verme gözüpekliğine artık bir hâtime çekelim ve medeniyet ürünü olan bu binaları, medenîce kullanmasını bilelim.

Herkes bundan kazançlı çıkar. Ama aklınıza gelebilecek, her kesim ve herkes. Hatta ruhlar âlemi bile, mutluluk duyar.